読む力

中上級

コミュニカ学院
［監修］奥田純子
［編著］竹田悦子・久次優子・丸山友子
　　　　八塚祥江・尾上正紀・矢田まり子

はじめに

　本書は、「読む力　中級」を終えた学習者のための教材です。「読む力　中級」では、中級の壁を越えることが目的でした。すでにその力を身に付けた皆さんには、ぜひとも次のステップ、読みの上級者を目指してほしいと思い、本書を作成しました。

　読みの上級者とは、どのような読み手でしょうか。言語的にも構造的にも難しい専門的な文章を理解できるというだけでは、十分ではありません。本書でいう上級者とは、文章の難易度に関わらず、クリティカル・リーディング（批判的読み）ができる読み手です。

　クリティカル・リーディングというのは、著者の言い分を鵜呑みにせず、眉に唾を付けながら、文章をじっくり吟味しながら読むことです。批判的と聞くと、非難したり、攻撃したり、けなしたりすることのように思いがちですが、そうではありません。例えば、書かれていることは、ほんとうにそうだと言えるのだろうか、このような角度から見ればこうも考えられないだろうか、そもそも著者はどのような前提を持って書いたのだろうかなどを考えながらテキストを読むということです。つまり、書かれていることを、簡単に納得したり、信じたりしない読み手の姿勢や態度であり、さまざまな角度からテキストを検討するための思考技術の一つがクリティカル・リーディングです。

　膨大な情報や知識があふれている現代、主体的にそれらを取捨選択し、自律的に問題を発見し、創造的に解決する力は、ことばの力と共に今を生きる人に必須の能力です。この能力の基礎となるのが、クリティカル・リーディングを通して鍛えられる批判的思考力です。ですから、クリティカル・リーディングは、学生ばかりでなく、ビジネスパーソンや主婦など、すべての人が身につけるべき技術だと言えるでしょう。

　本書のねらいは、みなさんが自力で日本語によるクリティカル・リーディングができるようになるためのコツを身につけてもらうことにあります。そのために、各課にクリティカル・リーディングのポイントをタスクの形にして掲載しました。タスクを通して、書き手の思考の道筋を的確に追いながら、問題を探し出し、明確な問いを立て、文章を吟味しながら読む技術をぜひ、自分のものにしてください。本書が、一人ひとりのクリティカル・リーディングの力を付けることに役立てば幸いです。

2013年　神戸にて風光る海と山とを望みつつ

奥田純子

目次

| はじめに ...... iii | この本の使い方 ...... v | この本をお使いになる先生方へ ...... xv |

プロローグ クリティカル・リーディングへの扉（とびら） 1

第1課 私のニュースの読み方 7
□池上彰（著）

第2課 価値の一様性（かち） 19
□河合隼雄（著）

第3課 言葉の起源をもとめて（きげん） 31
□岡ノ谷一夫（著）

第4課 経済学とは何か 43
□辻正次・八田英二（著）

第5課 思いやり 55
□清ルミ（著）

第6課 住まい方の思想 67
□渡辺武信（著）

第7課 決まった道はない。ただ行き先があるのみだ ―獣医師・齊藤慶輔（じゅういし・さいとうけいすけ） 79
□ NHK「プロフェッショナル」制作班（著）

第8課 メディアがもたらす環境変容に関する意識調査（かんきょう） ―電車内の携帯電話使用を例にして（けいたい） 91
□石川幹人（著）

第9課 改訂 介護概論（かいてい かいご がいろん） 99
□小池妙子（編著）・丸山美知子 他（共著）

第10課 ことばの構造、文化の構造 ―共時的展開と通時的展開（てんかい） 111
□鈴木孝夫（著）

第11課 観光で行きたい国はどこ 123
□平松貞実（著）

第12課 化粧する脳 137
□茂木健一郎（著）

チャレンジ クリティカル・リーディングを磨こう！（みが） 149

頭を柔らかくする**複眼思考レッスン** ❶ ○○なものを探せ！ 　30
　　　　　　　　　　　　　　　 ❷ これ何に使える？ 　54
　　　　　　　　　　　　　　　 ❸ 仮説をつくろう 　98
　　　　　　　　　　　　　　　 ❹ 仲間同士!? 　122

この本の使い方

対象とする学習者

○大学、専門学校等で学んでいる人、学ぼうとしている人
○アカデミックな日本語を読めるようになりたい人
○日本語能力試験(N1)、日本留学試験に向けて読解の勉強をしたい人

この本の特徴

特徴1 ... 学習目標が見える！

◉ 各課の学習目標には[できること1]と[できること2]の2つがあります。

できること 1 この本で達成する大きな学習目標です。

できること 2 [できること1]を細かく分けたのが、[できること2]です。その課の勉強は何のためか、これを勉強することによって何ができるようになるのかがわかります。

	できること 1	できること 2	
第1課〜第7課	抽象的な内容の教養書や専門分野の入門書を読み、問題提起、論点、筆者の主張、意図、分野の概要が把握できる	教養書の一節を読み、筆者の問題提起、論点、主張、意図などが把握できる	第1課、第2課
		教養書の一節を読み、筆者の研究の動機と仮説の概要が把握できる	第3課
		専門分野の入門書の一節を読み、その分野の概要が把握できる	第4課
		エッセイやコラムを読み、比較、対照、構造化、アナロジーを押さえながら、筆者の主張、意図が把握できる	第5課、第6課 第7課
第8課〜第9課	論文の抄録、専門書の目次を目的に応じて読める	学術論文の抄録を読み、研究の概要（目的・方法・結果・考察・結論）が把握できる	第8課
		専門書の目次を読み、目的に応じて目次からその本で読むべき箇所を見つける	第9課
第10課〜第12課	抽象的な内容の教養書や専門分野の入門書を読み、比較、対照、構造、アナロジーを押さえながら、問題提起、論点、筆者の主張、意図、分野の概要が把握できる	専門分野の入門書の一節を読み、比較、対照、構造、アナロジーを理解し、筆者の主張、意図が把握できる	第10課
		専門分野の入門書の一節を読み、調査結果を比較、対照しながら、筆者の主張が把握できる	第11課
		教養書の一節を読み、取上げられた事象の現状、展望、原因、問題点などが把握できる	第12課

v

特徴2 … 必要なスキル(技能)がはっきりわかる!

● 課のはじめに「この課で身につけるスキル(スキル表)」があります。スキルは、全体把握と認知タスクを解くことによって確認できます。「タスク(問題)」⇒「スキル(技能)」⇒「学習目標(できること)」というつながりがはっきり見えます(スキルの内容については pp.xi-xii を参照)。

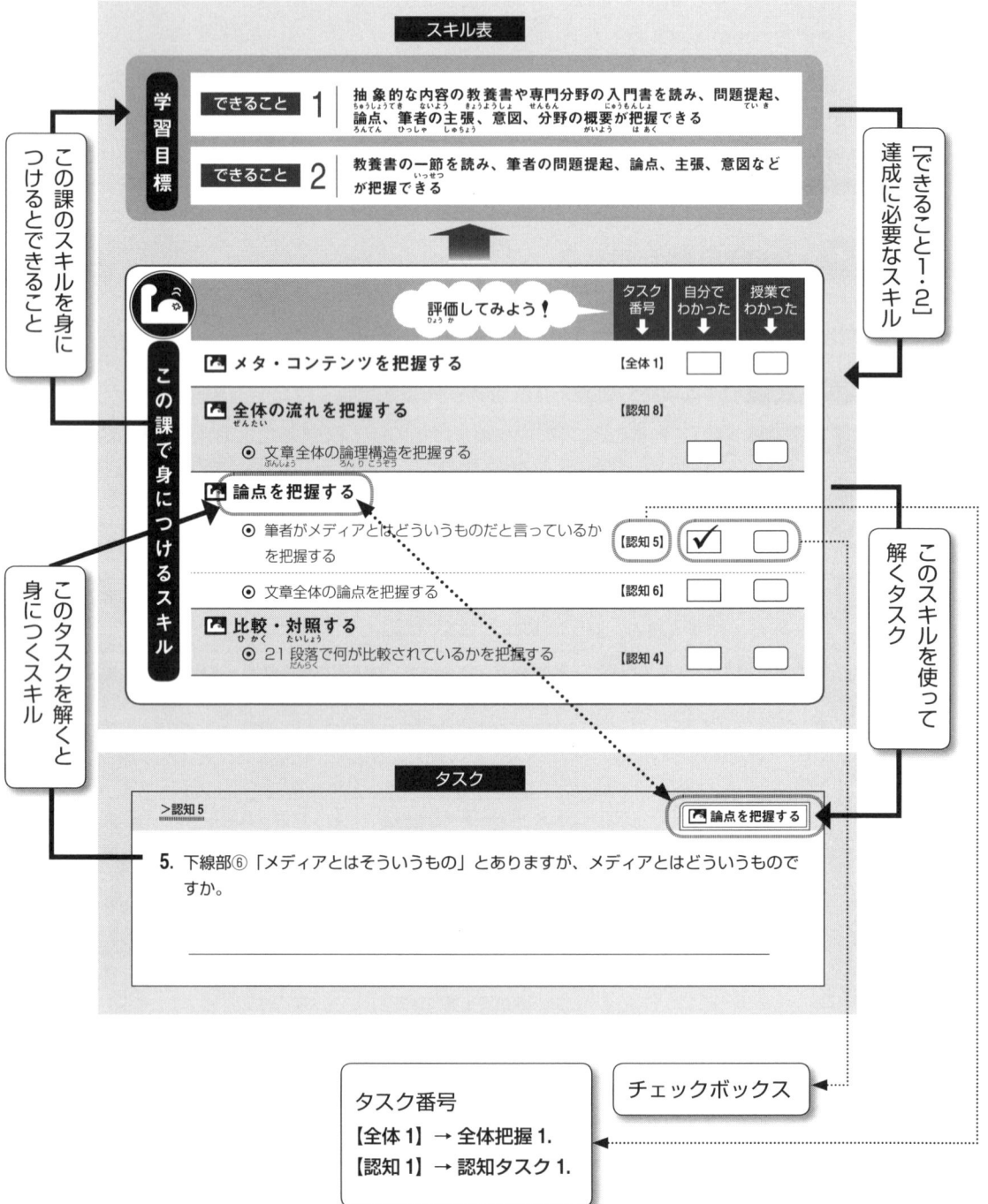

● 「この課で身につけるスキル(スキル表)」のチェックの仕方

タスクを解いた後、自分で「この課で身につけるスキル(スキル表)」や巻末の「スキル一覧表」にチェック✓してみてください。得意なスキル、苦手なスキル(あなたに必要なスキル)がわかります。自分の弱い部分を知って勉強すれば、読む力が確実に身につきます。

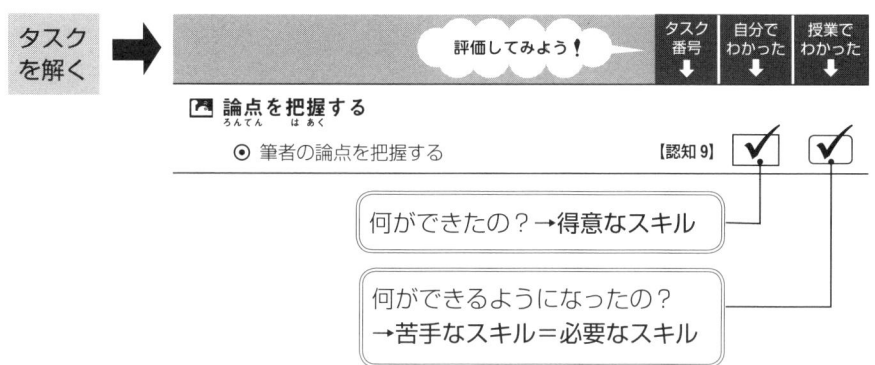

● 巻末には「スキル一覧表」があります。その課の学習を終えて、それぞれのスキルが身についたかどうかを自己評価し、チェック✓してみましょう。得意なスキル、苦手なスキル(あなたに必要なスキル)を把握して、スキル向上に役立てましょう。

学習目標	できること①	抽象的な内容の教養書や専門分野の入門書を読み、問題提起、論点、筆者の主張、意図、分野の概要が把握できる		
	できること②		教養書の一節を読み、筆者の問題提起、論点、主張、意図などが把握できる	教養書の一節を読み、筆者の研究の動機と仮説の概要が把握できる
各課詳細	課	第1課	第2課	第3課
	タイトル	私のニュースの読み方	価値の一様性	言葉の起源をもとめて
身につけるスキル	メタ・コンテンツを把握する	✓	✓	✓
	全体の流れを把握する	☐	✓	
	論点を把握する	☐	☐	
	論理展開を予測・把握する			☐
	明示的な主張・意図を把握する		☐	☐
	結論を把握する			
	特定の情報のみを抽出する		☐	

チェックボックス

特徴3 ... アカデミックな読みをするための3種類のタスク

● 大学、専門学校で必要とされるアカデミックな読みとは？

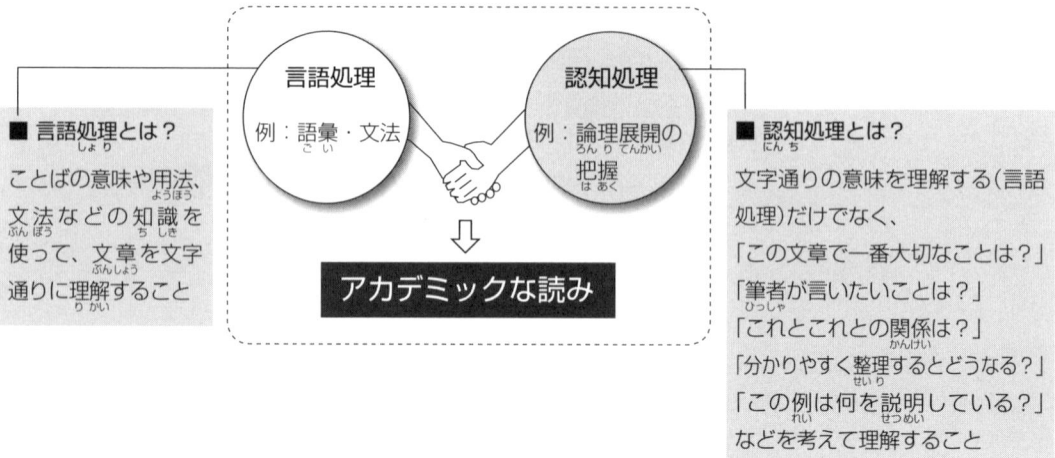

■ 言語処理とは？
ことばの意味や用法、文法などの知識を使って、文章を文字通りに理解すること

■ 認知処理とは？
文字通りの意味を理解する（言語処理）だけでなく、
「この文章で一番大切なことは？」
「筆者が言いたいことは？」
「これとこれとの関係は？」
「分かりやすく整理するとどうなる？」
「この例は何を説明している？」
などを考えて理解すること

● 各課にはアカデミックな読みをするための3種類のタスク（「全体把握」「言語タスク」「認知タスク」）があります。

1. 全体把握

メタ・コンテンツ（次ページ参照）とテキストの種類を問うタスクです。テキストを読んで、そこに書かれたことはつまり何なのか、というメタ・コンテンツの形にまとめる力は、レジュメやレポートを書くときに必要です。まず、時間をかけずにサッと読んで、解いてみてください。もし、分からなかったら、「言語タスク」「認知タスク」を解いた後でもう一度考えてみてください。

2. 言語タスク

「認知タスク」を解くために必要な言語処理を問う問題なので、「認知タスク」を解く前に解いた方が効果的です。

3. 認知タスク

言語処理だけでなく、認知処理を同時に必要とするアカデミックな問題です。選択式のタスクが多いのには理由があります。試験形式に慣れるためではありません。まず、表面的でない精緻な読みを求める選択肢の検討を通じて認知処理が促されます。それから、表現にエネルギーを使わないので、読みに集中できます。さらに、的確な言語表現に豊富に触れることができ、アカデミックな表現力をつける土台になります。

▮メタ・コンテンツとは？▮

コンテンツ（内容）そのものではなく、**内容をメタ（meta-）に（ひとつ上のレベルから）捉え直し、名詞句で端的にまとめたもの**です。要点や要約ではありません。

➡「コンテンツ」と「メタ・コンテンツ」の違いは？

① 自動車が増えて、環境に大きな負荷がかかっている。このままでは美しい地球を未来に残せない。自動車の使用を大幅に制限するべきなのではないだろうか。

△ 環境のために自動車の使用を制限するべきだ。←コンテンツ
○ 自動車の使用に関する意見 ←メタ・コンテンツ

② この本を書いたのは、日本で学ぶ留学生の思いを多くの人々に知ってもらいたいと思ったからだ。慣れない土地での苦労、仲間たちとの出会い、将来への希望、そういった平凡だが貴重な声の数々をここに集めた。たくさんの人に読んでもらいたい。

△ この本を書いたのは、留学生の思いを人々に伝えるためだ。←コンテンツ
○ この本を書いた理由の説明 ←メタ・コンテンツ

特徴4 …クリティカル・リーディング（Critical Reading）の力が身につく！

各課に、クリティカル・リーディングのポイントが、タスク形式で挙げてあります。これに取り組むことで、文章を吟味しながら読む技術が身につきます。練習を重ねるうちに、クリティカル・リーディングのコツを覚え、読みの上級者に一歩近づくことができます。

（詳しくは p.1「プロローグ ―クリティカル・リーディングへの扉」を参照）

この本の構成

■ 読む前に

皆さん自身の考え方、ふるさとの文化などに関する簡単な質問や、短い文章が書かれています。これは、テキストを読む前に、そのテーマやトピックに関する皆さんの知識を引き出して、興味や関心を持ってもらうためのものです。クラスでその質問や文章について話し合い、共有しておけば、より多くの知識を持ってテキストを読むことができます。もし、皆さんがそのテーマやトピックに関してあまり知らない場合は、テキストを読むために必要な知識を得ることもできます。

■ 学習目標

この課の学習を通じて、何ができるようになるのかが、[できること1][できること2]に書かれています(詳しくはp.vを参照)。文章を読むとき、普通は「この機械の使い方を知りたい」とか「手紙の用件を知りたい」など具体的な目的があります。この本の本文を読むときにも、「これを読み取ろう」という目的を持って読むことによって、なんとなく読むよりも読む力が格段に高まります。

■ この課で身につけるスキル(スキル表)

この課の学習目標を達成するために必要なスキルが挙げてあります。これらのスキルは、問題を解くときに使うスキルでもあります。スキルは、全体把握と認知タスクを解くことによって確認できます。この課の学習を終えたあとで、自分がそのスキルを使えるようになったか、自己評価してみてください。

スキル表のふりがなは、日本語能力試験(旧試験)の2級以上(2級、1級、級外)の漢字を使う語と、固有名詞についています(ページ初出のみ)。

スキル表の内容

メタ・コンテンツを把握する Grasp the meta-contents of the text / 掌握大意 / 掌握大意 / 주요내용을 파악한다	メタ・コンテンツとは、内容をメタに(ひとつ上のレベルから)捉え直し、名詞句で端的にまとめたものです。内容の要約ではありません(詳しくは、p.ix を参照)。
全体の流れを把握する Grasp the overall flow of meaning of the text / 掌握总体的流程 / 掌握總體的流程 / 전체의 흐름을 파악한다	文章全体をひとつの話として理解することです。話のつながりがわかり、段落を正しい順序に並べ替えることができます。
論点を把握する Grasp the point of argument / 掌握论点 / 掌握論點 / 논점을 파악한다	論点とは、そこに書かれた主張やその根拠の核心(一番中心的なポイント)です。つまり、「要するに何が言いたいか」です。
論理展開を予測・把握する Predict/understand the logical development / 預測掌握邏輯展開 / 預測掌握邏輯展開 / 논리 전개를 예측·파악한다	書かれたことを論理的に追い、「なぜそう言えるのか」を理解すること、論理的に考えて前後の展開や結論を推測することです。
明示的な主張・意図を把握する Grasp the explicit assertion/intention / 掌握明确的主张·意图 / 掌握明確的主張·意圖 / 명시적인 주장·의도를 파악한다	文中に筆者の主張(意見)や意図(言いたいこと)がはっきり表れているときに、それが読み取れることです。
結論を把握する Grasp the conclusion / 掌握結論 / 掌握結論 / 결론을 파악한다	筆者の最終的な判断を一言でまとめるとどうなるかがわかることです。結論ははっきり書かれている場合とそうでない場合があります。あとの場合は、書かれたことをもとに推測する必要があります。
特定の情報のみを抽出する Extract specific information / 只提取特定的信息 / 只擷取特定資訊 / 특정의 정보만을 추출한다	必要な情報がどこに書かれているか見つけ出すことです。要らないものを捨て、必要な部分だけを取り出します。
比較・対照する Compare/contrast / 比较·对照 / 比較·對照 / 비교·대조한다	「A はこうだが、B はこうだ」と何かを比べたテキストを理解することです。分類の視点が筆者独特の場合、何と何を対比しているのかを的確に捉えることがポイントになります。
原因と結果の関係を把握する Grasp the relationship between cause and result / 掌握原因和结果的关系 / 掌握原因與結果的關係 / 원인과 결과의 관계를 파악한다	因果関係を理解することです。文中で原因と結果が離れている場合や、直接的に書かれていない場合もあります。
構造・法則性を把握する Grasp the structure/principle / 掌握构造·法则性 / 掌握構造·法則性 / 구조·법칙을 파악한다	書かれている内容について論理的な構造や法則性(こういう場合はこうなるなど)を整理して理解することです(ここで言う「構造」は、テキストの文法的·言語的構造ではありません)。
何の例かを把握する Grasp what the example is for / 掌握例举的事例 / 掌握例舉的事例 / 무슨 예인지를 파악한다	例を挙げて何かを説明しているとき、「それが何を説明するための例なのか」を理解することです。「どんな例か」ではありません。

xi

📖 **非明示的な背景・意図を推測する** Speculate on the implicit background/intention / 推测非明确的背景和意图 / 推測非明確的背景和意圖 / 비명시적인 배경이나 의도를 추측한다	書かれたことの背景や意図が直接的ではないが推測できるように書かれている場合に、それを捉えることです。
📖 **複数の情報を関連付ける** Relate two or more pieces of information with each other / 把复数的信息联系起来 / 把複數的資訊連結起來 / 복수의 정보를 관련 짓는다	書かれている複数のことが互いに関連している場合に、その関係を正しく理解し、関連するもの同士を結びつけることです。
📖 **アナロジー・比喩がわかる** Understand the analogy/metaphor / 判明类推・比喻 / 判明類推・比喻 / 유추・비유를 알 수 있다	アナロジー(類推)というのは、新しい物事や考え方を説明するときに、すでに知っていることと比べてみることです。「ああ、こういうことかな」と類推してわかってもらうための説明の手法です。 比喩は、「太陽のように明るい人」や「人生は旅だ」のように、一つのものを何か他のものに喩えることです。「人生は旅だ。計画してもその通りには行かない。だが、そこがおもしろい。」のように、喩えるものの間に共通の物語や関係や構造があるものは、比喩でもあり、同時にアナロジーでもあります。 ◇ [アナロジーを使った説明の例] 「過去にこだわらずに前に進むこと」を説明するために、下線部のコップの話を、アナロジーとして使っています。 　ときどき、これまでのやり方や過去の成功体験にこだわって、新しい方法や考え方を受け入れられない人がいる。だが、それでは進歩も成長もない。過去にこだわらずに前に進もう。<u>コップに新しい水を入れるには、今、入っている水を捨てなければならないのだ。</u>
📖 **句・文単位での言い換えを把握する** Grasp the paraphrase at phrase/sentence level / 掌握以短语・句子为单位的互换 / 掌握句子・短文為單位的其他說法 / 구・문장 단위로 대체표현을 파악한다	文中で同じ意味を表す複数の表現が使われているとき、それを把握することです。もとの言葉が一語でも、言い換えが句(フレーズ)や文になる場合があります。
📖 **スキミングする** Use skimming strategy (to get the main ideas of the text) / 略读・粗读 / 텍스트의 주제를 파악하기 위한 스키밍기법 사용하기	速読のスキルの一つで、全体をさっと読んで、概要・主旨・要点など、そこで重要な情報は何かをつかむ読み方です。何が書かれたテキストか、自分の目的に合うかをごく短時間で知りたいときに使います。
📖 **スキャニングする** Use scanning strategy (to get a specific information) / 查读 / 細讀精讀 / 특정 정보를 파악하기 위한 스캐닝기법 사용하기	速読のスキルの一つで、全体を見渡して、必要な特定の情報が書かれた部分を探し出す読み方です。自分が求める情報があらかじめ決まっていて、それだけを把握したいときに使います。
📖 **抽象的記述と具体的記述を関連付ける** Relate abstract descriptions with specific ones / 把抽象记述和具体记述联系起来 / 將抽象的記述與具體的記述連結起來 / 추상적 기술과 구체적 기술을 관련 짓는다	文中で関連のある事柄が、抽象的なレベルと具体的なレベルの両方で書かれているとき、両者を結び付けることです。たとえば、「移動手段」と「徒歩」や「電車」のような関係です。

■ テキスト

　テキストの種類としてはエッセイ、教養書、専門分野の入門書、目次、論文の抄録など、ジャンルとしては教育、文化、経済学、介護、言語社会学、脳科学など、大学などにおいて出会う多様なものが選ばれています。内容的には専門的なテキストを読む前段階として、一般向けの文章で認知処理が必要なものが選ばれています。全て、日本人向けに書かれた生の文章です。

　ふりがなは、日本語能力試験（旧試験）の1級以上（1級と級外）の漢字を使う語と、固有名詞についています（ページ初出のみ）。それ以外で読み方のわからない語は、語彙リストで調べましょう。

■ 全体把握・言語タスク・認知タスク

　「この本の特徴　特徴3（p.viii）」を参照してください。

■ クリティカル・リーディング

　「プロローグ―クリティカル・リーディングへの扉（p.1）」を参照してください。タスクの右上の「関連」のマークは、互いに関連のある問いであることを示しています。

［凡　例］

(関連➡ CR2)＝ CR2番と関連があるタスク

(関連➡ 認知4)＝認知タスク4番と関連があるタスク

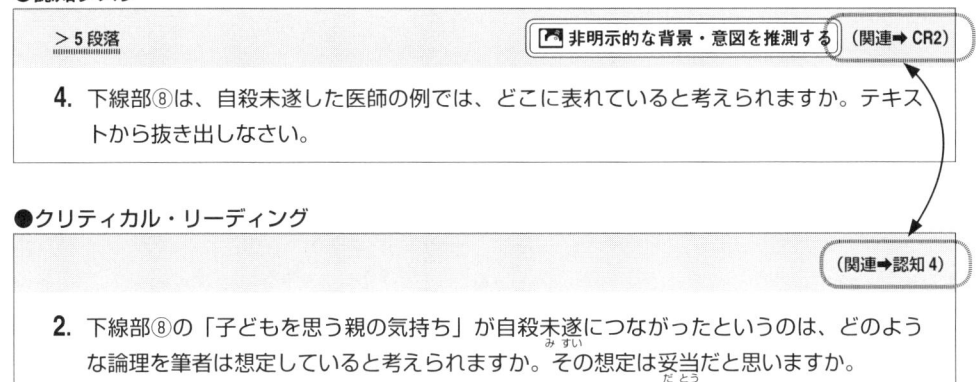

■ 複眼思考レッスン

　クリティカル・リーディングに必要な思考の柔軟性を身につけ、発想をより豊かにするための頭の体操です。肩の力を抜いて楽しんでください。

■ 巻末「スキル一覧表」

　巻末の「スキル一覧表」には、各課の学習目標（[できること1][できること2]）、「この課で身につけるスキル」が一覧で示してあります。その課の学習を終えたら、身についたスキルを自己評価し、チェックを入れましょう（詳しくはp.viiを参照）。

■ 別冊「語彙リスト」

その課の語彙の英語、中国語(簡体字・繁体字)、韓国語訳がついています。予習、復習に使ってください。

※ベトナム語の語彙訳はこちらからダウンロードできます。yomuchikara.jimdo.com

級	ことば	読み方	英語	中国語[簡体字]	中国語[繁体字]	韓国語
第4課　経済学とは何か						
2	科目	かもく	subject	科目	科目	과목
外	文科系	ぶんか-けい	liberal arts; the humanities	文科类	文科類	문과계 (열)
1	理科系	りか-けい	science	理科类	理科類	이과계 (열)
2	おそらく		probably; likely; perhaps	恐怕, 可能	恐怕, 可能	아마, 필시
	手にする	てにする	to take; to pick up	得到, 到手	得到, 到手	손에 들다
2	きっかけ		trigger; motive	契机	契機	계기
外◆	効用	こうよう	effect	效用	效用	효용

[凡　例]

1＝日本語能力試験(旧試験)の1級の語彙、**2**＝2級、**3**＝3級、**4**＝4級
(＊旧試験の1級はおよそ新試験のN1に、2級はN2に、3級はN4に、4級はN5に相当します。)

外＝日本語能力試験の級外で覚えたほうがよいもの

外◆＝級外の理解語彙でよいもの

……………………

○日本語能力試験3級、4級の語彙は漢字の読みが難しいものだけ載せています。
○2語以上のフレーズで載せているものは、級が書かれていません。
　　例：耳を傾ける
○複合語の2つの語の級が違う場合は、上の級が書かれています。
　　例：重なり合う⇒2級
　　　　重なる⇒2級、合う⇒3級

■ 別冊「解答例」

　この本の「全体把握」「言語タスク」「認知タスク」の解答例は「正解」ではなく、解答の一例です。特に、記述式のタスクでは、答えが一つに決まらないのが普通です。解答例を参考に、読みを検討してください。

　なお、この本のクリティカル・リーディングには基本的に解答例がありません。クリティカル・リーディングは自由な発想を問うものであって、「正解」はなく、考え方の可能性は無限にあるからです。パラフレーズ(自分の言葉による言い換え・再構成)にのみ解答例をつけましたが、それ以外の考え方も可能です。あくまで参考に留めてください。

この本をお使いになる先生方へ

■本書で扱うクリティカル・リーディングの範囲

　本書では、「認知タスク」「クリティカル・リーディング」「クリティカル・シンキング」の区別を、以下のように考えています。

　認知タスク──テキストに書かれたことから合理的な推論の範囲で確実に言えることを筆者の意図に沿って読み取るタスクです。
　　一般にはクリティカル・リーディングとされるものの一部（筆者の主張を問う等）も含みます。

　クリティカル・リーディング（ＣＲ）──異なる視点からの分析や推論、自分の経験や考えに照らした検討など、筆者の書いていることを無条件に受け入れるのではなく、判断を保留して吟味する視点を持ったタスクです。
　　一般にクリティカル・リーディングではよく、論理の妥当性・一貫性を問いますが、一貫性を欠くなど、それ自体に大きな欠陥のあるテキストは、この本では取り上げません。

　クリティカル・シンキング──テキストの検討からさらに一歩進んで、発展的に自分の考えを展開し、それを口頭や記述で表現することです。この本は読みのスキルを身につけるのが主眼なので、クリティカル・シンキングの部分は重点的には扱いません。

■クリティカル・リーディングを使った活動の方法

　▶**全部やらなくてもＯＫ**

　　時間の制約、学習者やクラスの特性に応じて、適当な問いを選んでお使いください。また、たとえば、これ以外のクリティカルな問いを足したり学習者に考えてもらったりするのも面白いのではないでしょうか。

　▶**使い方は自由**

　　問いに対して学習者が考えを述べる方法としては、口頭で述べる、あるいは紙に書くなどがあるでしょう。
　　口頭で述べる場合は、準備なしに言ってもらう、あるいは、少し準備の時間をとり、小グループで話し合ったうえで自分の考えをまとめ、発表してもらうことも可能です。

書く場合は、2, 3行で簡単に書く方法、原稿用紙などにまとまった長さの文章を書く方法などが考えられます。

また、書いたものをクラスで共有する、他の学習者の述べたことを、たとえば、問いと整合性があるか、テキストに沿っているか、論理的に筋が通っているか、根拠は十分かといった「CR として妥当か」という視点から検討する、といったやり方も可能です。

▶正解はない

ご承知のように、クリティカル・リーディングに正解はありません。解答例をつけると、「解答例＝正解」のような誤解を与えて読みを固定化し、テキストへの自由なアクセスを妨げる恐れがあると考え、あえて解答例をつけていません。

ある学習者の述べたことが「CR として妥当か」を検討する際は、特に誤解が生じやすいので、学習者に再度、「正しい答え」も「間違った答え」もないことの注意を促していただければと思います。

テキストの内容を自分の言葉で再構成するパラフレーズには、自学自習の学習者の便宜を考えて解答例をつけましたが、再構成の仕方も十人十色であってよいと考えています。

▶本書のクリティカル・リーディングを使って

本書のクリティカル・リーディングは、記述や口頭表現など、発信を中心とした教室活動にも使えます。自分の考えをきちんとした形で書いたり話したりすることに主眼を置けば、クリティカル・シンキングに近づきます。

「本書の特集ページ：yomuchikara.jimdo.com」で
クリティカル・リーディングの活動例などを紹介しています。

プロローグ クリティカル・リーディングへの扉(とびら)

▌クリティカル・リーディングとは何だろうか

クリティカル・リーディング(以下ＣＲ)とは、テキストを読んで何が書かれているかを正確(せい)に理解(かく　りかい)したうえで、複眼的(ふくがんてき)な視点(してん)から、その内容(ないよう)や構成(こうせい)を検討(けんとう)することです。「クリティカル(批判的(ひはんてき))」といっても、欠点(けってん)を探(さが)したり否定(ひてい)したりすることではありません。

▌クリティカル・リーディングはなぜ必要(ひつよう)か

このような読み方は、何の役に立つのでしょうか。それは、一つの見方に因(とら)われない柔軟(じゅうなん)な思考、つまり、クリティカル・シンキング(批判的思考)の土台を作るのに役立(やくだ)ちます。情報(じょうほう)をうのみにせず、自律的(じりつてき)な主体としてものを考える姿勢(しせい)は、研究はもちろん、日常(にちじょう)生活(せいかつ)や仕事上のさまざまな場面(ばめん)で役立ちます。

▌本書で扱(あつか)うクリティカル・リーディングとは

ＣＲの力をつけると、皆(みな)さんが生活や仕事や研究で出会う、さまざまなテキストに批判的にアクセスできるようになります。つまり、自分で自由(じゆう)にクリティカルな問いを立てられるようになるのです。この本ではそのための第一歩(だいいっぽ)として、用意された問いに答える形(かたち)で、少しずつＣＲに慣(な)れていきます。ここで取(と)り上げる問いは基本(きほん)中の基本で、ＣＲのごく一部(いちぶ)です。しかし、これを通じて、複眼的にものを見る、柔軟(じゅうなん)な視点が身(み)につきます。

クリティカル・リーディングをやってみよう！

　まず、一つテキストを読んでＣＲの具体的な問題に挑戦してみましょう。次のテキストは「行列のできる店」について書かれたエッセイです。

日本人はなぜ行列するのか

　「行列のできる店」というのがある。レストランなどの前に２、30人の人が並んでいるのだ。混んでいるなら他へ行けばよいのに、何十分もおとなしく待つ。さらに不思議なことに、いったん行列ができると、人がさらに集まってくる。

　行列のできる店はそれだけ人気のある、おいしい店なのだ、という判断が働くからだろう。けれども、海外では行列などしない。混んでいれば、さっさと他の店に行ってしまう。なぜ日本人は行列が好きなのか。それは、並ぶこと自体が特別なイベントだからだ。「この間、あの評判の店に行ったらね、45分待ちでね。」「へえ～。で、味はどうだった？」と話題にするのが楽しいのだ。評判の店で行列を作るのは、ディズニーランドのアトラクションで並ぶのと同じなのである。

　このテキストを、皆さんはどのように読みましたか。読んでいると、いろいろな疑問が湧いてきます。たとえば、次のような問題意識を持って読むのがＣＲです。例題を通して、ＣＲを体験してみましょう。

例　題 次の問の答えを考えてみましょう。また、その根拠も考えてみましょう。

1. 2段落で「海外では行列などしない」と断定していますが、本当にそのように言えると思いますか。

   > **ヒント**⇒事実のように書かれていても、そのまま信じるのは危険です。筆者の知る限りではそうであっても、海外事情のすべてに通じている人はあまりいないでしょう。根拠のない断定は要注意です。

2. 「なぜ日本人は行列が好きなのか」とありますが、行列ができることと、行列が好きなのは同じことでしょうか。

   > **ヒント**⇒「なぜ○○なのか」と言うと、その理由が気になって、つい「○○」の中身を検討するのを忘れがちですが、このような言い換えは要注意です。

3. 「評判の店で行列を作るのは、ディズニーランドのアトラクションで並ぶのと同じなのである」とありますが、妥当でしょうか。

   > **ヒント**⇒二つの現象が「同じだ」と言うためには、どのような点で同じか明らかにする必要があります。文中から推測できないなら、論理に飛躍があるのかもしれません。

4. 行列のできる理由について、あなたは筆者の考えに賛成ですか、反対ですか。

   > **ヒント**⇒筆者の主張を理解し、それを踏まえて自分の意見を述べます。その際、テキストから離れて、自分の経験や知識だけで意見を述べるのはCRではありません。

　このように検討することは、書かれていることが間違っているとか主張が正しくないということではありません。どんなに優れたテキストでも、CRの対象になります。自律的な読み手は、問題意識を持って文章を読み、推論したり自分の経験や知識と比べたりして、テキストと対話しつつ読み進めていくものだからです。

クリティカル・リーディングの約束事！

❶ テキストに沿う！

テキストから離れて、その話題やテーマだけを論じるのは、ＣＲではありません。その話題やテーマについて経験や知識がある場合はそうなりがちなので、特に気をつけましょう。

❷ 根拠を挙げる！

「なんとなく」ではなく、根拠を挙げて考えを述べることが思考を鍛えます。たとえＣＲの問いが「〜だと思いますか」「〜に賛成ですか、反対ですか」のような問いであっても、「はい／いいえ」だけでなく、なぜそう考えるのか、必ず根拠を挙げましょう。

❸ 他者の考えを認める！

ＣＲに正解はありません。読む人が10人いれば、10通りの読み方が可能です。「認める」ということは、「賛成する」ということではありません。他の人の考えが自分と違っても頭から否定しないで、「ああ、なるほど、そういう考え方もあるのか」とそのまま理解することです。異なる発想に耳を傾けることで、より深く、より豊かにテキストを読むことができます。そして、そのことは、思考の豊かさと自己の理解につながります。

コラム

パラフレーズをやってみよう！

◆ **パラフレーズとは**

パラフレーズは、キーワードや重要なフレーズや文を別の言葉でわかりやすく言い換えること、あるいは段落など文章の一部または全体を、テキストの主旨、物事の経緯や理由など、ある観点に沿って再構成することです。

◆ **要約との違いは**

要約：もとの文章を忠実に圧縮すること。キーワードをそのまま使う。

パラフレーズ：自分がその文章をどのように理解したかを、自分の言葉に置き換えて再構成すること。

◆ **パラフレーズは何の役に立つのか**

テキストの内容や構成について検討するとき、パラフレーズには自分がそのテキストをどう読んだかが表れるため、お互いの理解が明らかになります。

では、実際にパラフレーズに挑戦してみましょう。

上達は、技の習得である。技を習得するためには繰り返し練習し、量が質に転化する瞬間を逃さないことが重要である。漫然とただ機械的に反復するというのでは、十分ではない。自分のやっていることを意識化する意識の鮮明さが、上達の速度を速める。

物事をうまくやるコツを摑まえる瞬間がある。こうした瞬間は、一定程度の時間、集中力が持続したときに訪れる。その世界に没入しつつ自分のやっていることを鮮明に意識できている時間が、ある程度続いたときに、コツが見出される。せっかく良い練習をしていても、集中力の持続が一定時間続かないと、コツを身につける瞬間が訪れにくい。

つまり、上達の秘訣は、集中力の持続にある。

斎藤孝『「できる人」はどこがちがうのか』（ちくま新書）2001

例　題

1. 「上達」という言葉をパラフレーズしなさい。
2. このテキストで言う「上達の秘訣」を、パラフレーズしなさい。

解答例

1. より高い技能を身につけること
2. はっきりと自覚的に、他のことを考えずに、そのことだけに注意を向けて、練習を何度も、ある程度の長さにわたって続けること

第1課　私のニュースの読み方

読む前に

1. あなたは新しい情報をどこから得ていますか。
   ［例：新聞、テレビ、インターネット、ラジオ、SNS、友人、雑誌、など］

2. ❶から得ている情報や映像はどのくらい信頼できますか。

3. テレビで報道されるニュースが正しい情報かどうか考えたことはありますか。

4. あなたは信頼できる情報と信頼できない情報をどのように区別していますか。

5. 「メディア・リテラシー(media literacy)」という言葉を聞いたことがありますか。

学習目標

できること 1 抽象的な内容の教養書や専門分野の入門書を読み、問題提起、論点、筆者の主張、意図、分野の概要が把握できる

できること 2 教養書の一節を読み、筆者の問題提起、論点、主張、意図などが把握できる

この課で身につけるスキル

評価してみよう！

	タスク番号	自分でわかった	授業でわかった
メタ・コンテンツを把握する	【全体1】		
全体の流れを把握する			
● 文章全体の論理構造を把握する	【認知8】		
論点を把握する			
● 筆者がメディアとはどういうものだと言っているかを把握する	【認知5】		
● 文章全体の論点を把握する	【認知6】		
比較・対照する			
● 21段落で何が比較されているかを把握する	【認知4】		
何の例かを把握する			
● シュワルツェネッガー氏の話や松井選手とイチロー選手の話が何の例かを把握する	【認知6】		
非明示的な背景・意図を推測する			
● どのような判断によって読売新聞が討論会のことを記事にしなかったかを推測する	【認知1】		
●「有権者に判断材料を……」が何の判断かを推測する	【認知2】		
● 同一人物を「シュワルツェネッガー氏」「シュワちゃん」と書き分けた筆者の意図を推測する	【認知3】		
●「メディア・リテラシー」の力をつけるために必要なものを推測する	【認知7】		

私のニュースの読み方

池上　彰(著)（『ニュースの読み方使い方』新潮文庫 2006）

シュワちゃんは、勝ったのか負けたのか

　2003年9月24日、アメリカ・カリフォルニア州の知事選挙の候補者討論会が開かれました。この討論会の最大の焦点は、候補者のひとりである俳優のアーノルド・シュワルツェネッガー氏が出席したことです。さて、この場でシュワちゃんは、どんな奮闘ぶりを見せたのでしょうか。9月26日の各新聞の記事を見てみましょう。

　「予想外の合格点」という見出しをつけたのは毎日新聞です。

　「政策に弱いとみられていたシュワルツェネッガー氏だが、わかりやすい言葉とユーモアを交えたスピーチで『従来の政治家とは違う』ことをアピール。テレビの採点でも『合格点』との見方が大勢だった」

　どうやらシュワちゃん、うまくいったようです。

　続いて、日本経済新聞。

　「(ほかの候補の)逆襲を受けながらも数字を交えて歳出削減や教育改革の必要性を熱っぽく主張。『政策論争を避ける』『経験不足』といった批判を薄めるのにある程度成功した格好だ」

　シュワちゃん、まあまあだったようです。

　次は朝日新聞。

　「数字を挙げて説明したが、書いた文を読むような一本調子が耳につく。(中略)肝心の政策については抽象的な発言が多く、政治家としてはあまりアピールできなかった」

　おやおや、シュワちゃん、失敗したようです。

　では、スポーツ新聞はどうか。日刊スポーツ。

12 「映画では無敵でも、討論会では、たじたじだった。(中略)財政改革など持論を展開したが、言葉に詰まる場面もあった」

13 これは、これは、シュワちゃん、完敗だったようです。

14 さて、実際のところ、シュワルツェネッガー氏の討論会での様子はどうだったのでしょうか。読者は、読んだ新聞によって、シュワちゃんの討論会が成功したのか、健闘したのか、大失敗だったのか、異なる印象を受けることになります。

15 メディアが伝える情報は、記事を書く人間に左右される、ということを如実に示す例でしょう。なお、読売新聞は、そもそもこの討論会に一切触れていません。①これはこれで、新聞社としての判断を示したことになるでしょう。

16 一方、同じ討論会について、アメリカの大手通信社・AP通信は、討論会に出席した五人の各候補の主張を丁寧に紹介しています。シュワルツェネッガー氏の主張がうまくいったか失敗だったかについては、一切評価していません。アメリカの通信社としては、俳優候補の様子を面白おかしく伝えるのではなく、有権者に②判断材料を提供しようとしていることをうかがわせます。

17 その後、③シュワルツェネッガー氏というよりはシュワちゃんが、十月の知事選挙でめでたく当選し、カリフォルニア州知事に就任したことは、ご存知の通りです。

メディアを読み解く「メディア・リテラシー」の力をつけよう

18 メディアによって、そして、そのメディアがどこの国のものかによって、これほどまでに情報というものは変わってくるのです。

19 メディアの伝える内容を冷静に読み解く、あるいは情報を解釈する力のことを「メディア・リテラシー」といいます。私のようにマスメディアに身を置く者として言う資格があるかどうかわかりませんが、④マスメディアといえども、結局は人間が働いている以上、間違えることもあれば、勘違いすることもあるし、伝え手によって、内容のニュアンスが異なることもあります。

20 ⑤伝え手は、どんなニュースを伝えるか、ある出来事のどの部分を伝えるか、常に「取捨選択」をしています。

たとえばアメリカ大リーグ(注1)で活躍するヤンキース(注2)の松井秀喜選手とマリナーズ(注3)のイチロー選手。日本のニュースでは、毎日のように「大リーグ情報」のコーナーで、その活躍ぶりが紹介されます。毎日このニュースを見ていると、アメリカでも彼らの活躍が大きく取り上げられているような錯覚に陥ります。が、実はそうでもないのですね。もちろん、彼らの活躍でチームが勝利したときには、大きく取り上げられることもありますが、ふだん、アメリカのスポーツニュースに、彼らの姿が登場することはありません。

日本の視聴者が見たいと思っているから、彼らの活躍ぶりを、日本の視聴者向けに報道しているのです。そこには、「日本のプロ野球情報を伝える時間を短くしてでも、松井やイチローの大リーグでの活躍ぶりを日本の視聴者に届けたい」という、伝え手の「選択」が行われているのです。

情報を受け取るとき、私たちは、⑥「メディアとはそういうもの」という認識を持っていたほうがいいでしょう。

その上で、「この情報は果たして正しいのか、内容は伝える側の主観に左右されていないか、ほかのメディアはどう伝えているのか」を、常に自問自答しながら読み解くことが求められているのです。

先ほどのシュワルツェネッガー候補の奮闘ぶりについて伝える記事では、少なくとも意図的に事実をねじ曲げることはなかったのでしょうが、中には意図的な情報操作が行われることもあります。これは、戦争のときに顕著になります。

(注1) アメリカ大リーグ：メジャーリーグ。アメリカ合衆国・カナダのチームからなるプロ野球リーグのこと。
(注2) ヤンキース：ニューヨーク・ヤンキース(New York Yankees)アメリカ大リーグのプロ野球チーム。
(注3) マリナーズ：シアトル・マリナーズ(Seattle Mariners)アメリカ大リーグのプロ野球チーム。

■全体把握■

> メタ・コンテンツを把握する

1. この文章のメタ・コンテンツは何ですか。(　)に適当な言葉を書きなさい。また、{　}の中の適当なものを選びなさい。

(　　　　　　　　　　　　　　　)の力をつけるために知っておくべきニュースの

{ a. 特性の紹介　b. 理想像の提示　c. 実態への批判　d. 影響力の検証 }

2. 文章の種類は何ですか。適当なものを選びなさい。

a. 小説　　b. 学術論文　　c. 新聞の社説　　d. 教養書

■言語タスク■

> 2～13段落　　　　　　　　　　　　　　　　　　　　　　　　　　　　　（関連➡CR2）

1. 筆者は、各新聞の記事からどのような印象を受けていますか。また、記事のどの言葉からそのような印象を受けていると思いますか。線を引きなさい。

	記事から受ける印象	記事
毎日新聞		「政策に弱いとみられていたシュワルツェネッガー氏だが、わかりやすい言葉とユーモアを交えたスピーチで『従来の政治家とは違う』ことをアピール。テレビの採点でも『合格点』との見方が大勢だった」
日本経済新聞		「(ほかの候補の)逆襲を受けながらも数字を交えて歳出削減や教育改革の必要性を熱っぽく主張。『政策論争を避ける』『経験不足』といった批判を薄めるのにある程度成功した格好だ」
朝日新聞		「数字を挙げて説明したが、書いた文を読むような一本調子が耳につく。(中略)肝心の政策については抽象的な発言が多く、政治家としてはあまりアピールできなかった」
日刊スポーツ		「映画では無敵でも、討論会では、たじたじだった。(中略)財政改革など持論を展開したが、言葉に詰まる場面もあった」

> 19 段落

2. 「メディア・リテラシー」とは何ですか。

_____

> 19 段落

3. 下線部④は、どのような意味ですか。適当なものを選びなさい。

a. マスメディアと言っても、そこでは人間が働いているのだから、間違えることもあるし、勘違いすることもあるし、伝え手によって内容のニュアンスが異なることもある。

b. マスメディアで働く人間は働きすぎているので、間違えたり、勘違いしたり、伝え手によって内容のニュアンスが異なったりすることが多い。

c. もし、マスメディアで働く人が間違えたり、伝え手によって内容のニュアンスが異なったりしたら、読者や視聴者は勘違いしてしまう。

d. マスメディアと言っても、そこで働いている人間が思っている以上に、たくさん間違えたり、勘違いしたり、伝え手によって内容のニュアンスが異なったりしている。

> 21 段落

4. アメリカ大リーグで活躍するヤンキースの松井選手とマリナーズのイチロー選手は、日本とアメリカのニュースでどれくらい取り上げられていますか。

日本：_____

アメリカ：_____

■認知タスク■

> 15〜22段落　　　　　　　　　　　　　　　非明示的な背景・意図を推測する　（関連→CR4）

1. 下線部①は、どのような判断を示したことになると考えられますか。

　　_____

> 16段落　　　　　　　　　　　　　　　　　非明示的な背景・意図を推測する　（関連→CR4）

2. 下線部②は、何の判断ですか。

　　_____

> 1〜17段落　　　　　　　　　　　　　　　非明示的な背景・意図を推測する

3. 下線部③でシュワルツェネッガー氏とシュワちゃんは書き分けられています。どのように違うか、(　　)に言葉を入れなさい。

　　シュワルツェネッガー氏：(　　　　　　　　　　)としてのシュワルツェネッガー
　　シュワちゃん：(　　　　　　　　　　　　　　)としてのシュワルツェネッガー

> 21段落　　　　　　　　　　　　　　　　　比較・対照する

4. 21段落では、何と何が比較されていますか。適当なものを選びなさい。

　　a. 二人の日本人野球選手の活躍ぶりに関する、日本のニュースでの取り上げられ方 vs. アメリカのニュースでの取上げられ方
　　b. ヤンキースの松井選手に関するニュースの取り上げられ方 vs. マリナーズのイチロー選手に関するニュースの取り上げられ方
　　c. 日本のニュースでの野球の取り上げられ方 vs. アメリカのニュースでの野球の取り上げられ方
　　d. 野球選手に関する報道を通して見る、日本のメディアの報道の質 vs. アメリカのメディアの報道の質

> 22～23 段落　　　　　　　　　　　　　　　　　　　　　　論点を把握する

5. 下線部⑥「メディアとはそういうもの」とありますが、メディアとはどういうものですか。

_____

> 全体　　　　　　　　　　　　　　　　論点を把握する　　何の例かを把握する

6. テキストの内容をもとに、（　）に適当な言葉を書きなさい。

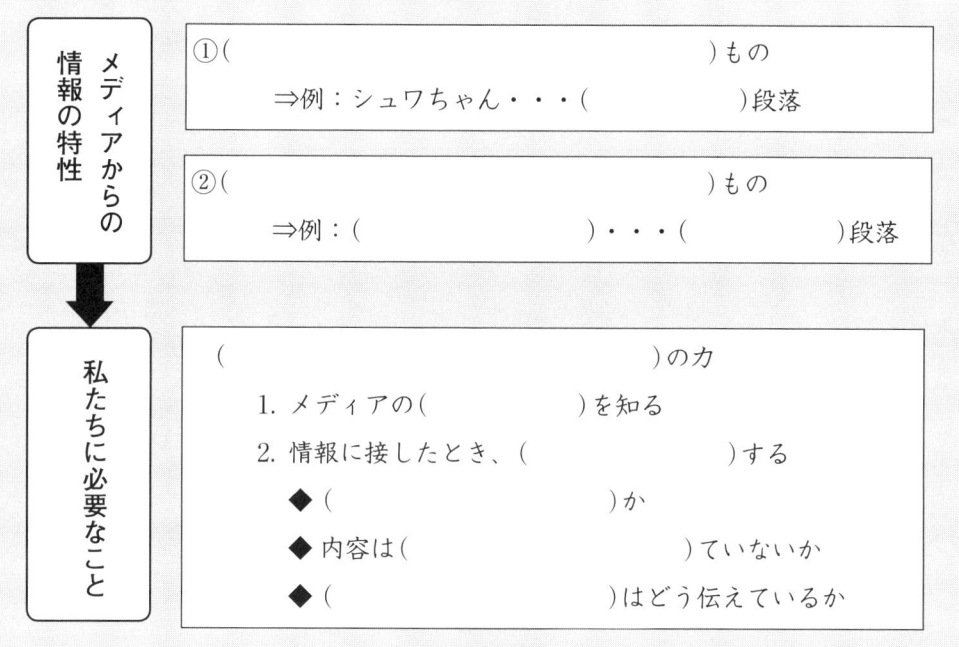

> 18～25 段落　　　　　　　　　　　　非明示的な背景・意図を推測する　（関連➡ CR5）

7. 筆者は別のページで「メディア・リテラシー」の力をつけるためにあるものが必要だと言っていますが、それは何だと思いますか。

　　　健全な　a. 敵対心
　　　けんぜん　　　てきたい
　　　　　　　b. 懐疑心
　　　　　　　　　かいぎ
　　　　　　　c. 自尊心
　　　　　　　d. 好奇心
　　　　　　　　　こうき

>全体　　　　　　　　　　　　　　　　　　　　　　　全体の流れを把握する

8. この文章の論理構造を分析し、次の表に整理して書きなさい。

項目	内容	段落番号
導入（問題提起）	シュワちゃんの討論会での奮闘ぶりはどうだったのか	1
主張	メディアはその特性を知って賢く利用すべきだ	
論拠1		
エビデンス1ー①		
エビデンス1ー②		
論拠2	伝え手は伝える情報を常に取捨選択している	
エビデンス2	松井やイチローの日米の取り上げ方の違い	
補足	その他	17, 25

〈注〉ここで言う「論拠」は主張を支える理由、「エビデンス」はその理由を裏づける証拠です。

▶▶▶ クリティカル・リーディング

1. この文章は、どのような読者を対象に書かれたものですか。作者の意図・狙いは成功していますか。

考え方のヒント ▶▶▶

① 想定される読者層は、内容・分野・文章の種類・文体などから推測できます。この文章は、どのような人たちに役立ちそうか、どのような人たちが関心を持って読みそうか、いろいろな可能性を吟味してみましょう。

良くない例：「読者は、一般の幅広い人々だと思います。」
良い例：　　「ニュースに接するすべての人に関係のある内容で、しかも文庫本になっていることから、一般の幅広い読者が対象だと考えられます。」

② 作者の意図・狙いが成功している文章には、説得力があります。印象だけで判断せず、主張が明確か、論理が明快で一貫性があるか、根拠が十分か、例が適切かなどの点を、テキストに沿って具体的に検討しましょう。

良くない例：「筆者の狙いは成功だと思います。筆者は説明が上手です。前にテレビに出ているのを見ましたが、とてもわかりやすい話し方でした。」
良い例：　　「シュワちゃんなどの親しみやすい例でメディア・リテラシーを説明した筆者の狙いは成功していると思います。同じ出来事を複数のメディアがどう報じたかを比べているのが、具体的でわかりやすいと思いました。」

(関連➡言語1)

2. ① 筆者が討論会に関する各記事の印象を一言でまとめていますが、それぞれの印象は妥当だと思いますか。

② 妥当かどうかを判断するためには、何が必要ですか。

3. ① この文章の中の日本の各紙はシュワルツェネッガー氏の討論会を、どのような視点から報道しましたか。

② 何かそれ以外の視点が考えられますか。できれば、複数挙げましょう。

(関連➡認知1,2)

4. この文章によると、AP通信の姿勢と、日本の各紙の姿勢との違いは何を反映していると考えられますか。たとえば、次の可能性はどうか吟味してみましょう。また、これ以外にないか考えてみましょう。

・通信社と新聞というメディアの特性の違い
・自国の問題か、他国の問題かという当事者性の違い
　　　　　　　　　　　　⋮

(関連➡認知7)

5. この文章を読んだ人は、今後、どのようにメディアにアクセスするようになると思いますか。

第2課　価値の一様性
（かち）

読　む　前　に

1. あなたはどんな子が「よい子」だと思いますか。

2. あなたはどんな人生が「幸福な人生」だと思いますか。

3. **1.**や**2.**は、あなたのふるさとの一般的な価値観と一致していますか。

学習目標

できること 1 抽象的な内容の教養書や専門分野の入門書を読み、問題提起、論点、筆者の主張、意図、分野の概要が把握できる

できること 2 教養書の一節を読み、筆者の問題提起、論点、主張、意図などが把握できる

この課で身につけるスキル

評価してみよう！

	タスク番号	自分でわかった	授業でわかった
メタ・コンテンツを把握する	【全体1】		
全体の流れを把握する			
・文章全体の流れを把握する	【認知7】		
論点を把握する			
・何が子どもたちの「幸福」を奪っているかを把握する	【認知2】		
明示的な主張・意図を把握する			
・筆者の主張を把握する	【認知7】		
特定の情報のみを抽出する			
・筆者が紹介している「一様な価値観」を抽出する	【認知6】		
原因と結果の関係を把握する			
・「優等生だった子どもが……挫折したりする」原因を把握する	【認知5】		
・「一様な価値観」がどのような結果をもたらすかを把握する	【認知7】		
何の例かを把握する			
・自殺未遂した医師の話が何の例かを把握する	【認知3】		
非明示的な背景・意図を推測する			
・「幸福を願う親の気持ち」が医師のエピソードで何に当たるかを推測する	【認知4】		
句・文単位での言い換えを把握する			
・「少しでもよい点を〜「よい子」なのである」＝「　？　」	【認知1】		

価値の一様性

河合隼雄(著) (『子どもと学校』岩波新書 1992)

　価値の多様性ということが、最近よく言われるようになった。①生き方が多様になっただけ、価値観の方も多様になってきた、というのであるが、果してそうだろうか。

　②教育の「実状」を考えてみると、日本人すべてが、「勉強のできる子はえらい」という、一様な価値観に染まってしまっている、と言えないだろうか。親は子どもの点数のみ、序列のみを評価の対象にする。③少しでもよい点をとってきて、少しでも上位に位する子は「よい子」なのである。教師も親ほどではないにしても、それに近いであろう。

　このような考えの根本には、「よい大学」を卒業し、④「よいところ」に就職すると幸福になる、という考えがある。しかも困ったことに、「よい大学」というのが、ほとんど⑤一様にランクづけされている、という事実がある。子どもの個性に従って大学を選ぶのではなく、その成績によって適当なところを選ぶ、という考え方である。

　なぜこのような一様性が生じるかについては後に論じるが、⑥このことがどれほど子どもたちの「幸福」を奪っているかについて、よく考えてみる必要がある。親は子どもの幸福を願うと言いつつ、それを壊すことを平気でしているのだ。教師も多く⑦それに加担している。

　某一流大学の医学部を卒業し、医師になってすぐに自殺未遂をした人があった。その人は小さい頃から家庭教師を──多いときには五人も──つけられ、常によい成績をとり続け、「最高」と思われる大学を卒業した。しかし、医師として仕事をはじめてみると、対患者、対看護婦、などの関係がまったくうまくゆかず、悲観してしまって死のうと思ったと言う。このような例に接すると、⑧子どもの幸福を願う親の気持ちが、一様な価値観に縛られているために、⑨カラまわりをしてしまっていると感じられる

のである。

6 　また、勉強勉強と言わないにしても、日本人にほとんど一様と言っていいほどの価値観として、「⑩素直なよい子」という理想像がある。これは、簡単に言ってしまえば、親や教師など目上の人の言うままに、それに従うことを意味している。そのようにして「よい子」の模範のようにされてきた子どもが、大学に入ったとたんに、「自主的判断」をもって研究をせよ、などと言われてもできるはずがない。⑪優等生だった子どもが、大学に入学してすぐ挫折したりするのには、このような例がある。これも、一様な価値観の犠牲者と言っていいだろう。

7 　日本人にとって、多様性ということは、いったいどう理解されているのだろうか。

■全体把握■

第2課 価値の一様性

メタ・コンテンツを把握する

1. この文章のメタ・コンテンツは何ですか。（　）に適当な言葉を書きなさい。また、{　}の中の適当なものを選びなさい。

   一様な（　　　　　）に縛られた現代の{a. 教育　b. 科学　c. 文化　d. 芸術}の（　　　）に対する{a. 提言　b. 報道記事　c. 問題提起　d. 分析データ}

2. 文章の種類は何ですか。適当なものを選びなさい。

   a. 論文　　b. エッセイ　　c. 新聞記事　　d. 小説

■言語タスク■

> 1段落

1. 下線部①は、つまりどういうことですか。もっとも近いものを選びなさい。

   a. 生き方が多様になってきただけで価値観は多様になっていない
   b. 生き方も価値観も多様になっていない
   c. 生き方が多様になってきたのと同じくらい価値観も多様になってきた
   d. 生き方が多様になってきたことと価値観が多様になってきたことは関係ない

> 1段落

2. 下線部①は、誰の見方ですか。

   a. 筆者
   b. 専門家
   c. 親と子ども
   d. 社会一般

23

> 2段落

3. 下線部②の内容と合っているものを選びなさい。

    a. 親も教師も程度の差はあっても多様な価値観を持っている
    b. 親は一様な価値観、教師は多様な価値観を持っている
    c. 親は多様な価値観、教師は一様な価値観を持っている
    d. 親も教師も程度の差はあっても一様な価値観を持っている

> 2～3段落

4. 下線部⑤は、具体的にどういうことですか。適当なものを選びなさい。

    a. 順位は関係なく、一人一人の個性にぴったりな大学がある
    b. 入学試験の難易度だけで、高いほうから順位がつけてある
    c. 設備、教育の質、難易度など項目ごとに順位がつけてある
    d. 設備、教育の質、難易度などを総合して順位がつけてある

> 3段落

5. 親たちは「よい大学」とはどういう大学と考えていますか。下線部に入る言葉をテキストから抜き出しなさい。

    上位に＿＿＿＿＿＿＿＿＿＿＿＿＿＿＿＿＿大学

> 3段落

6. 下線部④は、例えば、どんなところを指しますか。適当なものを選びなさい。

    a. 高収入で社会的地位が高い就職先
    b. レベルの高い学生が行く有名な大学院
    c. 気候温暖な暮らしやすい町
    d. 物価が安く生活がらくな地方

> 4段落

7. 下線部⑦は、何を指していますか。適当なものを選びなさい。

    a. 子どもが親の願いを無視すること
    b. 子どもが親の希望を壊すこと
    c. 親が子どもの幸福を願うこと
    d. 親が子どもの幸福を奪うこと

> 5段落

8. 下線部⑨とは、具体的にどういうことですか。適当なものを選びなさい。

    a. 子どもたちの幸福につながっていかない
    b. 子どもたちの幸福につながっていく
    c. 結果的に親の幸福につながっていく
    d. 子どもたちに親の気持ちが伝わらない

> 6段落

9. 下線部⑩は、どのような意味ですか。テキストの言葉を使って説明しなさい。

_____

■認知タスク■

> 2段落　　　　　　　　　　　　　　　句・文単位での言い換えを把握する

1. 下線部③をテキストの言葉を使って端的に言い換えなさい。

_____

> 4段落　　　　　　　　　　　　　　　論点を把握する

2. 下線部⑥が指すものとして文章の内容と合わないものを選びなさい。

   a. 親たちが、子どもの教育において一様な価値観を持っていること
   b. 親たちが、序列の高い大学や就職先ほどよいと信じていること
   c. 親たちが、子どもの個性ではなく成績によって大学を選ぶこと
   d. 親たちが、自分の満足のために子どもの幸福を奪っていること

> 5段落　　　　　　　　　　　　　　　何の例かを把握する

3. 自殺未遂した医師の例は何の例として書かれていますか。

_____

> 5段落　　　　　　　　　非明示的な背景・意図を推測する　（関連➡ CR2）

4. 下線部⑧は、自殺未遂した医師の例では、どこに表れていると考えられますか。テキストから抜き出しなさい。

_____

> 6段落　　　　　　　　　　　　　　　　　　　　　　　　原因と結果の関係を把握する

5. 筆者は下線部⑪のようなことがどうして起こると言っていますか。

_____から

> 全体　　　　　　　　　　　　　　　　　　　　特定の情報のみを抽出する　（関連➡ CR4）

6. 筆者が紹介している「一様な価値観」にはどのようなものがありますか。下線部に適当な言葉を書きなさい。

① _____が良い子であるという価値観

② _____が良い子であるという価値観

> 全体　　全体の流れを把握する　　明示的な主張・意図を把握する　　原因と結果の関係を把握する

7. 教育についての筆者の問題提起をまとめなさい。

最近、価値観が〔a. 多様　b. 一様〕になってきたというが、〔a. その通りだ　b. そうは思えない〕。現実を見ると、みんなが〔a. 多様　b. 一様〕な価値観を持っている。例えば、日本人すべてが、「『＿＿＿＿＿＿』を卒業し、『＿＿＿＿＿＿』に就職することが子どもの＿＿＿＿＿＿につながる」という考え方や、「＿＿＿＿＿＿はえらい」「＿＿＿＿＿＿なよい子が理想像」というような、「〔a. 多様　b. 一様〕な価値観」に縛られており、それが子どもたちの幸福を＿＿＿＿＿＿。

▶▶▶ クリティカル・リーディング

1. この文章はどのような読者を対象に書かれたものでしょうか。たとえば、次の人々はどうか吟味してみましょう。また、これ以外にも考えられるものを出してみましょう。

　・思春期から青年期の子を持つ親たち
　・教育関係者
　・子どもの教育に関心を持つ幅広い人々
　　　　　　　　　⋮

(関連➡認知4)

2. 下線部⑧の「子どもを思う親の気持ち」が自殺未遂につながったというのは、どのような論理を筆者は想定していると考えられますか。その想定は妥当だと思いますか。

3. 筆者は価値の一様性を問題にしていますが、あなたはこの問題提起が妥当だと思いますか。

(関連➡認知6)

4. 「勉強のできる子はえらい」「素直なよい子」の他に、子どもに望むこととして、どのような価値が考えられますか。

　例）「子どもは元気に外で遊ぶのがよい」「老人にやさしい子はえらい」など

5. この文章で言う「価値」「個性」「幸福」という言葉を、それぞれ、その言葉自体を使わずにパラフレーズしなさい。

価値 = ＿＿＿＿＿＿＿＿＿＿＿＿＿＿＿＿＿＿＿＿＿＿＿＿＿＿＿＿＿＿＿＿＿＿＿＿＿

個性 = ＿＿＿＿＿＿＿＿＿＿＿＿＿＿＿＿＿＿＿＿＿＿＿＿＿＿＿＿＿＿＿＿＿＿＿＿＿

幸福 = ＿＿＿＿＿＿＿＿＿＿＿＿＿＿＿＿＿＿＿＿＿＿＿＿＿＿＿＿＿＿＿＿＿＿＿＿＿

6. ① この文章の結論を支える論拠の後ろには、どのような前提があると推測されますか。例に出した前提以外に、どんなものがありうるか考えてみましょう。

前提：(例) 親の価値観は子どもに決定的な影響を与える。
論拠：親が一様な価値観に縛られると、子どもの個性を見なくなり、個性に合わない大学や仕事を選ぶため、子どもは入学後や就職後に挫折し、不幸になる。
結論：親の一様な価値観は子どもの幸福を奪う。

② 筆者と異なる論拠によって、筆者と同じ結論に導くとすれば、どのような論拠が考えられますか。その場合の前提も考えてみましょう。

前提：＿＿＿＿＿＿＿＿＿＿＿＿＿＿＿＿＿＿＿＿＿＿＿＿＿＿＿＿＿＿＿＿＿＿＿

論拠：＿＿＿＿＿＿＿＿＿＿＿＿＿＿＿＿＿＿＿＿＿＿＿＿＿＿＿＿＿＿＿＿＿＿＿
↓
結論：親の一様な価値観は子どもの幸福を奪う。

③ 筆者と正反対の結論「親の一様な価値観は子どもを幸福にする」を導くには、どのような異なる前提が考えられますか。その場合の論拠も考えてみましょう。

前提：＿＿＿＿＿＿＿＿＿＿＿＿＿＿＿＿＿＿＿＿＿＿＿＿＿＿＿＿＿＿＿＿＿＿＿
↓
論拠：＿＿＿＿＿＿＿＿＿＿＿＿＿＿＿＿＿＿＿＿＿＿＿＿＿＿＿＿＿＿＿＿＿＿＿

結論：親の一様な価値観は子どもを幸福にする。

頭を柔らかくする 複眼思考レッスン❶

■ 一見似ていないものの中から共通点を持ったものを見つける練習です ■

○○なものを探せ！

◎ 条件に合うものを 30 個挙げる。

〈例〉「飛ぶもの」：ロケット、花火、タンポポの種、携帯の電波…

1. 「光るもの」：

2. 「お金の要らないもの」：

3. 「一日に何度も使うもの」：

他にもやってみよう！

ポイント
できるだけ違う種類のものを挙げる。

第3課 言葉の起源をもとめて
きげん

読む前に

1. 人間以外に、言葉を持つ動物はいるでしょうか。
2. ❶で「いる」と答えた人は、人間の言葉と動物の「言葉」の間に、どのような違いがあると思いますか。
3. 人間の言葉は、どのように生まれたと思いますか。

学習目標

できること 1 抽象的な内容の教養書や専門分野の入門書を読み、問題提起、論点、筆者の主張、意図、分野の概要が把握できる

できること 2 教養書の一節を読み、筆者の研究の動機と仮説の概要が把握できる

この課で身につけるスキル

評価してみよう！

	タスク番号	自分でわかった	授業でわかった
メタ・コンテンツを把握する	【全体1】		
論理展開を予測・把握する			
● 筆者の長年の言葉への関心が何につながったかを予測する	【認知2】		
● 言葉の進化ではなく起源を知るために何を研究すべきかを把握する	【認知3】		
● 鳥の羽を例とする前適応の考え方を言葉にあてはめて理解する	【認知6】		
● 小鳥の歌と人間の言葉に共通する特徴が何かを把握する	【認知9】		
明示的な主張・意図を把握する			
●「言葉で埋め尽くされ、……気持ちを伝えることなんかできない」の意味を把握する	【認知1】		
●「この不連続」の意味を把握する	【認知4】		
● 小鳥の「すごい」点を把握する	【認知8】		
非明示的な背景・意図を推測する			
●「余分な行動」の意味を推測する	【認知7】		
抽象的記述と具体的記述を関連付ける			
●「動物の形質」「もともとは存在しなかった事態」が具体的に何に当たるかを把握する	【認知5】		

言葉の起源をもとめて

岡ノ谷一夫(著)

(『言葉の誕生を科学する』岡ノ谷一夫・小川洋子(共著) 河出ブックス 2011)

　自分はなぜ自分なのだろう。自分の意識は直接わかるのに、他人の意識はどうして推測しかできないんだろう。①人間はみんな基本的には同じ作りをしているのに、どうして自分には自分の心があるのだろう。体はそのままに、心だけ入れ替わってしまわないのはなぜだろう。こんなことばかり考えてきた。②答えは見えなかったが、言葉のことを研究すれば自分がなぜ自分なのかわかるような気がした。だって、言葉がすべてだろう。言葉のことも言葉で考える。「言葉であらわせない気持ち」と言うが、これだって言葉があるからこそできる表現だ。③言葉で埋め尽くされ、それでも埋められないところを示さなければ、言葉であらわせない気持ちを伝えることなんかできない。これほど人間のコミュニケーションを左右する言葉は、いったいどうやって生まれたのだろうか。　　A　　。

　④言葉とは、心に概念を浮かばせることのできる要素をさまざまに組み合わせて、新しい概念を構成し、自分や他人に伝達することのできる道具だ。何が要素かというと、いろいろなレベルが要素となりえるが、まあ単語が要素と考えてくれてよい。いろいろな単語を組み合わせて新しい表現ができるのが言葉だ。こう考えると、人間以外に言葉を使う動物はいない。人間だけが言葉を持っているのだ。

　僕が知りたいのは、言葉の起源である。言葉の起源とは、言葉の進化とは異なる。起源とは、存在しなかったものが存在するようになることであり、進化とは存在するものが世代を越えて変化することだ。人間はもう言葉をしゃべっている。だから　　B　　だろう。人間の研究からわかるのは、言葉をしゃべるための仕組みに過ぎない。仕組みをわかることは大切なことだけれど、僕の興味からは少しずれている。

　人間を使わずに言葉の起源を研究するにはどうしたらよいのか。人間のあらゆる形質(注1)は動物と連続している。しかし、言葉を持つのは人間だけだ。⑤この不連続を、

進化的な連続から説明するにはどうしたらよいだろうか。僕が好きな考え方は前適応説である。⑥動物の形質の中には、もともとは存在しなかった事態への適応も含まれている、という考え方である。たとえば鳥の羽は、もともとは飛ぶことが適応的(注2)であったのではなく、暖かいという機能が適応的であったと考えられている。しかし羽が十分生えてきたところで、飛ぶという機能が新たに生まれてきたのだ。これと同じように、　　C　　。言葉とは関係のない、ほかの機能のために進化してきたいくつかの形質がうまいこと組み合わさることで、まったく新しい機能として、言葉は生まれてきたものではないだろうか。

5　じゃあどういう機能が組み合わさって言葉になったのだろうか。言葉の特徴をじっくり考えると、ヒントが見えてくる。まず、言葉で大切なのは組み合わせが作れるというところだ。小鳥のオスのさえずりは、少数の要素をさまざまに組み合わせてうたわれる。小鳥がこんなことをするのは、さまざまな組み合わせを作ることが、過剰なエネルギーの表現としてメスに好かれるからである。このような⑦余分な行動は、その個体がどのくらい子孫を残せるかの指標になるのだ。(中略)

6　次に言葉で大切なのは、新しい音が学べるということである。新しい音を学ぶことができる動物はごく限られていて、人間と小鳥、そして鯨くらいしかいない。鯨でも小鳥でも、同じ種類の動物がうたっている求愛の歌を学んでうたっているのだ。イヌやネコもしゃべるって言う人もいる。でも、イヌやネコは飼い主のイントネーションに少しだけ似た音を出し、それを飼い主が誇大評価しているのがほとんどだ。イヌやネコは、たとえば「こんにちは」とはっきりと言うことはできない。でもオウムや九官鳥にならできる。かわいがって飼ってあげれば、スズメだって「こんにちは」とはっきり言える。⑧ここが小鳥のすごいところだ。

7　こうやって考えてみると、小鳥の歌には人間の言葉と共通する特徴が二つも含まれていることがわかる。　　D　　。だったら、人間の言葉も小鳥の歌のようなものが前適応となって生まれてきたと考えてみたらどうだろうか。こう考えて作ったのが、言語の歌起源説である。人間になった生き物は、言葉を話す前から、歌で求愛する類人猿の一種だった。最初は鳥と同じようにオスだけがうたっていたのかもしれない。

人間になる以前から、いろいろな事物を鳴き声や手の動きで示すことはやっていたから、彼らの世界にはたくさんの意味にあふれていた(図1)。彼らは異性を誘うときにいろいろな歌をうたった。たくさんの音を上手に組み合わせるやつは、異性から人気があった(図2)。だから、人間の歌はどんどん複雑になっていった。あるとき、求愛のときだけではなく、狩りにいくときにも歌をうたってみたやつがいた。するとそいつのまわりにはたくさん友達が集まってきて、狩りは大成功だった。すると今度は食事のときに歌をうたってみたやつがいた。たくさん友達が集まってきて、いろいろな食べ物を持ってきてくれたので、楽しく食事ができた。そのうちに、いろいろな状況をいろいろな歌で示すようになってくる(図3)。こうなると、社会的技術として歌が必要になるから、オス(男)のみならずメス(女)も歌をうたうようになるだろう。

　歌はお互いに学びあうから、偶然の一致で、ある状況とほかの状況で共通してうたわれる部分があったとしよう。すると、そういう環境で育った子供たちにとって、その部分が二つの状況の共通部分を指し示すものとして理解されてくるだろう。たとえば、狩りの歌と食事の歌の共通部分をうたうだけで、みんなが集まってくるだろう。狩りも食事も、みんなでする行動だからだ。こういう過程が繰り返されてきて、歌の一部がより具体的なものを指し示すようになり、単語のような働きを持つようになる。同時に、その単語が歌のどのあたりで出てくるのかという礼儀が決まってきて、文法のようなものが生まれてくる。⑨以上が、スウェーデンの同僚科学者であるビヨーン・マーカーといっしょに考えた、言語の歌起源説、相互分節化仮説である(図4)。はじまりは歌だった、っていうのが楽しい。

(注1)　形質：生物の示す形態的・生理的な性質・特徴で、遺伝子に規定されて現れるもの。
(注2)　適応的：生物のある形質が、環境への順応に役立つということ。

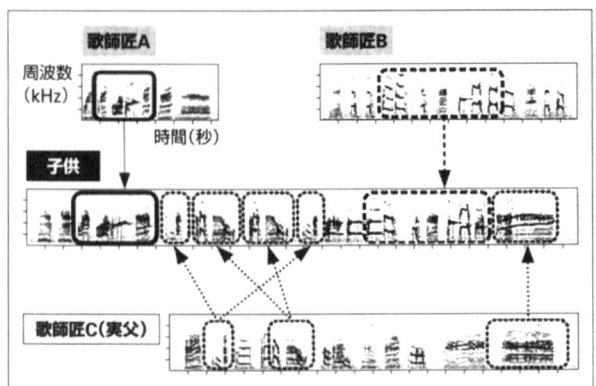

図1 歌の分節化学習
このヒナは、3羽の師匠から部分を学び、組み合わせてオリジナルな歌を作っている。

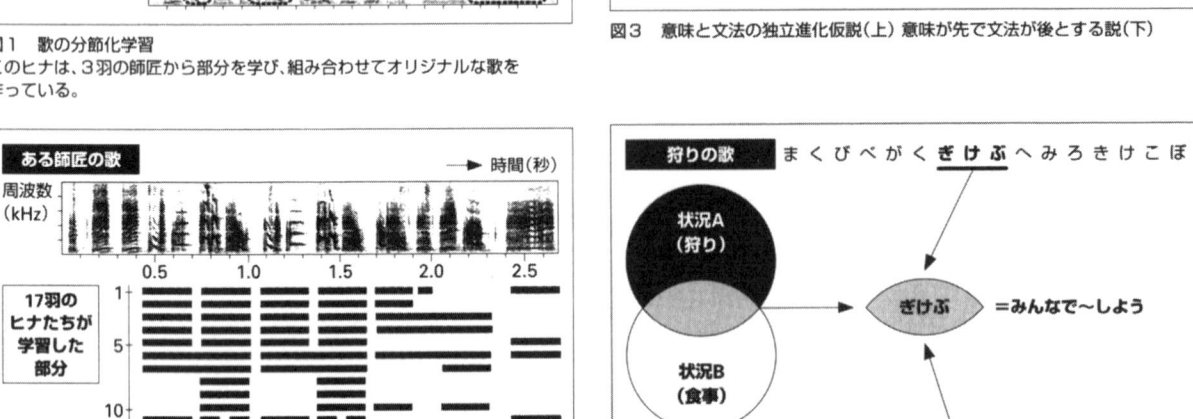

図2 歌の分節化の個体差
ある師匠の歌が17羽のヒナによってそれぞれどう切り取られたかを示す。

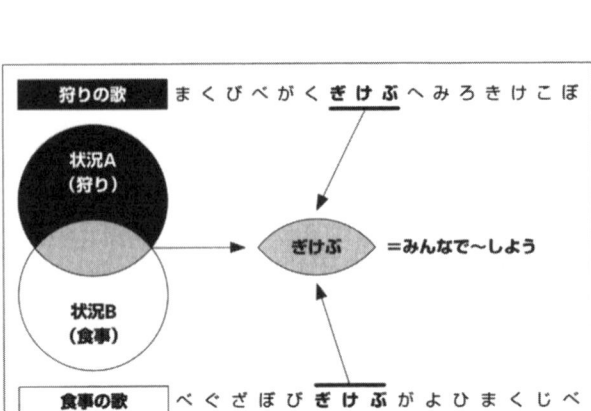

図3 意味と文法の独立進化仮説(上) 意味が先で文法が後とする説(下)

図4 状況と音列の相互分節化仮説

■全体把握■

📷 メタ・コンテンツを把握する

1. この文章のメタ・コンテンツは何ですか。（　）に適当な言葉を書きなさい。また、{　}の中の適当なものを選びなさい。

（　　　　　　　　　）の{a. 起源　b. 発展　c. 進化}に関する筆者の{a. 構想　b. 疑問　c. 仮説}の{a. 比較検討　b. 概要紹介　c. 詳細解説}

2. 文章の種類は何ですか。適当なものを選びなさい。

a. エッセイ　　b. 論文　　c. インタビュー　　d. 専門書

■言語タスク■

> 1段落

1. 下線部①は、どのような意味ですか。適当なものを選びなさい。

a. 人体の基本的な構造に個人差はなく、誰でも同じように出来ている
b. 人間の体格や見た目は人種によって多少は違うが、大きな違いはない
c. 人間の心の働きは民族や文化の違いがあっても、共通する部分が大きい
d. 人間も動物も基本的な骨格や内臓の配置は変わらず、共通点が多い

> 1段落

2. 下線部②は、文中のどのような問いに対する答えですか。最初と最後の5文字を書きなさい（句読点を除く）。

					から						まで

> 2段落

3. 下線部④とほぼ同じことを言っている文があります。テキストから抜き出しなさい。

_____

> 8段落

4. 下線部⑨は、文中のどこからどこまでを指しますか。最初と最後の6文字を書きなさい(句読点を除く)。

| | | | | | |から| | | | | | |まで

> 全体

5. 「言語の歌起源説」とは、どのような説ですか。(　　)に適当な言葉を書きなさい。また、{　　}の中の適当なものを選びなさい。

　　人の祖先は昔、{a. 歌で求愛する　b. 高度な知能を持った　c. 大集団で生活する}類人猿の一種で、事物を鳴き声や手の動きで示していた。求愛の際、{a. 声のいい　b. 大きな声で歌える　c. 音を上手に組み合わせる}オスはメスに好かれ、歌は{a. 単純化　b. 複雑化　c. 自己目的化}していく。あるとき、求愛ではなく、(　　　　)や(　　　　)のときに歌をうたったら、仲間が集まってきてうまく行った。そのうち、いろいろな状況を歌で示すようになり、歌は{a. 社会的技術　b. 生理的要求　c. 環境的要因}となり、メスもうたうようになる。偶然、二つの状況を示す歌に共通部分があると、歌の共通部分が状況の(　　　　　)を示すものと理解され、歌の一部が(　　　　)の働きを持つ。同時に、単語が現れる位置に関する礼儀が決まり、(　　　　　)が生まれた。

■認 知 タ ス ク■

> 1段落　　　　　　　　　　　　　　　　　　　　　明示的な主張・意図を把握する

1. 下線部③は、どのような意味ですか。適当なものを選びなさい。

   a. 人には言葉以外に表現の方法はないのだから、「言葉であらわせない気持ち」を伝えようとどんなにがんばってみたところで、言葉で表せないものを伝える方法はない。

   b. 「言葉であらわせない気持ち」を伝えるには、一度それを言葉で伝えようと努力してみて、それが無理だと納得できてはじめて、言葉以外の方法が大切だということがわかる。

   c. 「言葉であらわせない気持ち」を伝えるにも、まず、言葉で示せる限界を示し、その外という形で示す、つまり「言葉であらわせない気持ち」を示すのにも人は言葉を使う。

   d. 「言葉であらわせない気持ち」を伝えるには、言葉の限界を示すという間接的な方法しかなく、つまり、言葉はコミュニケーションの手段として不完全で不便なものだ。

> 1段落　　　　　　　　　　　　　　　　　　　　　論理展開を予測・把握する

2. 　　A　　に入る言葉として、適当なものを選びなさい。

   a. いくら考えても答えが出ないから、言葉の起源について考えるのは止めた
   b. こうやって考えたから、言葉の起源の研究をすることにしたのだった
   c. そう考えて、言葉に関する本を読んでみると、答えはあっさり見つかった
   d. 考えていくうちに興味は移り変わり、言葉への関心はやがて薄れていった

> 3段落　　　　　　　　　　　　　　　　　　　　　論理展開を予測・把握する

3. 　　B　　に入る言葉として、適当なものを選びなさい。

   a. 人間の言語について知りたいなら、動物を研究対象にするのが一番いい
   b. 言葉をしゃべる仕組みを知るには、人間と人間の言語を研究するしかない
   c. そもそも言葉が始まった理由を知りたいなら、人間を研究すればいい
   d. 人間をいくら研究しても、そもそも言葉が始まった理由はわからない

> 4段落　　　　　　　　　　　　　　　　　　　　明示的な主張・意図を把握する　(関連➡ CR2)

4. 下線部⑤は、どのような意味ですか。適当なものを選びなさい。

　a. 動物の言葉はあまり発達していないのに、人間の言葉だけが抜群に高度だ。

　b. 人間は類人猿から進化したのに、他の動物とまったく似たところがない。

　c. 人間は生物としては他の動物と大差ないのに、人間だけが言葉を話す。

　d. 他の動物の言葉は互いに関連があるのに、人間の言葉だけが固有のものだ。

> 4段落　　　　　　　　　　　　　　　　　　　抽象的記述と具体的記述を関連付ける

5. 下線部⑥の「動物の形質」「もともとは存在しなかった事態」とは、4段落の例で言うと具体的に何に当たりますか。適当なものを選びなさい。

動物の形質		もともとは存在しなかった事態	

　a. 羽　　　　　　　e. 暖かいという機能

　b. くちばし　　　　f. 飛ぶという機能

　c. 脚　　　　　　　g. 餌を取るという機能

　d. 目　　　　　　　h. コミュニケーションという機能

> 4段落　　　　　　　　　　　　　　　　　　　　　論理展開を予測・把握する

6. 　C　 に入る言葉として、適当なものを選びなさい。

　a. 言葉は最初から言葉であったに違いない

　b. 言葉が最初から言葉であったはずはない

　c. 言葉は他の機能とは独立に発達してきた

　d. 言葉は体温の維持が本来の目的であった

> 5段落　　　　　　　　　　　　　　　　　　　　　　　　　　　非明示的な背景・意図を推測する

7. 下線部⑦は、どのような意味ですか。適当なものを選びなさい。

　a. 小鳥のオスが求愛のために、少数の要素をいろいろ多様に組み合わせて美しくさえずること

　b. 小鳥が小鳥同士のコミュニケーションのためではなく、人間の声を真似して言葉を話すこと

　c. 小鳥が本来の求愛の目的を忘れて、さえずりをどんどん複雑化させ、オス同士で声を競うこと

　d. 小鳥が移動のために、安全な地上を歩く代わりに、多大なエネルギーを費やして空を飛ぶこと

> 6段落　　　　　　　　　　　　　　　　　　　　　　　　　　　明示的な主張・意図を把握する

8. 下線部⑧は、小鳥のどんなところが「すごい」と言っていますか。適当なものを選びなさい。

　a. 言葉を使って異種間のコミュニケーションができるところ

　b. 意味のわからない言葉をそれらしく上手に発音するところ

　c. 「こんにちは」のような長い音の連続を再現できるところ

　d. 本来の鳥の声と全く違う人間の音声を真似て出せるところ

> 7段落　　　　　　　　　　　　　　　　　　　　　　　　　　　論理展開を予測・把握する

9. 　D　 に入る言葉として、適当なものを選びなさい。

　a. 求愛のため歌うことと、オスもメスも歌うこと

　b. 他者から学ぶことと、組み合わせを作ること

　c. 親から子へ伝えられることと、音で表すこと

　d. 意味があることと、はっきり発音できること

▶▶▶ クリティカル・リーディング

1. 1段落で筆者は、「言葉のことを研究すれば自分がなぜ自分なのかわかるような気がした」と述べていますが、なぜそう言えるのか、十分に合理的な論理展開がなされていると思いますか。

(関連➡認知4)

2. この文章は、4段落で言う「この不連続を、進化的な連続から説明する」ことに成功していると思いますか。

3. 筆者は「言葉を持つのは人間だけだ」と言っていますが、下線部④は人間の言葉の定義として十分ですか。

4. この文章は、研究者と作家が言葉の起源について対談した記録をまとめた本からとったもので、本の冒頭にある「はじめに」の一節です。あなたは、この本を読んでみたいと思いますか。

第4課 経済学とは何か

読む前に

1. 経済学とはどんな学問だと思いますか。
2. 経済学と経営学で学ぶ内容は何が違うと思いますか。

学習目標

できること 1	抽象的な内容の教養書や専門分野の入門書を読み、問題提起、論点、筆者の主張、意図、分野の概要が把握できる
できること 2	専門分野の入門書の一節を読み、その分野の概要が把握できる

この課で身につけるスキル

評価してみよう！

	タスク番号	自分でわかった	授業でわかった
メタ・コンテンツを把握する	【全体1】	☐	☐
全体の流れを把握する			
⊙ 文章全体の流れを把握する	【認知5】	☐	☐
論点を把握する			
⊙ 経済学が難しい理由、経済学をマスターするポイントを把握する	【認知1】	☐	☐
⊙ 「経済学」の定義を把握する	【認知5】	☐	☐
論理展開を予測・把握する			
⊙ 「一般的」が指す範囲を把握する	【認知3】	☐	☐
⊙ モノには限りがあるという前提から「経済学」の定義へとつながる論理を把握する	【認知5】	☐	☐
何の例かを把握する			
⊙ テキスト内のどの語が、漢字から推測できない用語の例に当たるかを把握する	【認知2】	☐	☐
⊙ テキスト内のどの例が、経済学の定義に当てはまるかを把握する	【認知5】	☐	☐
複数の情報を関連付ける			
⊙ 経済学が難しい理由と、マスターするポイントを関連付ける	【認知1】	☐	☐
句・文単位での言い換えを把握する			
⊙ 「少ないものをどう活用すれば最大に欲望がかなえられるのか」=「 ？ 」	【認知4】	☐	☐

44

経済学とは何か

辻正次・八田英二(著)(『What's 経済学 —わかる楽しさ使うよろこび—』有斐閣アルマ 2003)

経済学は難しい？

　みなさんが高校生のとき、どのような科目に興味をもっていましたか。文科系の科目なら文学や歴史、理科系なら数学や天文学、これらに関する図書を授業や受験とは関係なく、進んで読まれたことでしょう。何よりも経済学がおもしろいと、自分から経済学の図書を読まれた方はおそらくおられないでしょう。そもそも①経済学という学問があることすら知らなかった、書店や図書館で経済学の本を手にしたが難しそうなので読むのをやめた、このようなことを経験されたのではありませんか。きっかけはさまざまですが、とにかく経済学は難しいという印象をもたれていることでしょう。

　もちろん、経済学はやさしい学問ではありません。専門の研究になりますと、理学部数学科より進んだ内容を研究する分野もあれば、研究者がまだまだ解明していない問題もたくさん残っています。このような難解な専門書ではなく、②やさしいはずの教科書や入門書を読む場合でも、難しく感じさせることが数多くあります。

　その理由は、Ⓐまず経済学で用いる専門用語の意味が、その漢字から読みとれるのとまったく異なることもあるからです。たとえば、「経済学」という言葉から、みなさんはどのような学問であるか想像できますか？　想像できなくて当然です。③これは福沢諭吉が、英語の Economics を日本語に翻訳するとき、中国の古典の「経世済民」という言葉から作った人造語であるからです。「読書百回、意自ずから通ず」とかいいますが、経済という単語をいくら眺め漢字からその意味を知ろうとしても、それは無理です。

　この点、教える側は大変助かっています。試験で、「次の語句を説明せよ」という問題を出題すると、授業に出席していない学生は漢字の意味だけからとんでもない答えを書いてくれ、単純な採点作業に一息入れさせてくれます。本文でも「限界効用」

45

という言葉が到る所で出てきますが、これもよい例です。漢字の意味では、効用の限界、満足度の最も大きいところとなりますが、ここでの限界の意味はそれとはまったく異なり、知らないと想像がつきません。専門用語の意味を④しっかり押さえておかないと、教科書を読んでも理解することが難しいということになります。これが経済学をマスターするための第1のポイントです。

5　もう1つの理由は、経済学は実際の経済と深くかかわっていることです。現実の経済の動きをある程度知っていないと、抽象的な経済理論を理解することが難しくなります。学生時分は経済学に興味がなかったが、就職してから重要性に気がついた、もっと勉強しておけばよかった。これは⑤卒業生からよく聞く言葉です。実社会に入り、経済がわかるにつれて経済理論が理解しやすくなります。最近、多くの大学や大学院でも社会人を受け入れるようになりましたが、実社会の経験を積み経済学の必要性を痛感した結果、もっと深く研究したいということで多くの志望者が集まっています。経済学を理解するには、新聞等を通じて現実の経済の動きもフォローする必要があります。これが経済学理解の第2のポイントです。

経済学とは何か

6　みなさんは経済学はどのような学問と思っていますか。多分におカネもうけの学問、これがⒷ一般的なイメージではないでしょうか。あるいは、どの株に投資をすればよいのか教えてくれる学問という人も多いでしょう。このような定義はもちろん間違ってはいませんが、Ⓒ一般的ではありません。

7　では、人はなぜおカネもうけがしたいのでしょうか。おカネはどんなものでも買え、まだまだ欲しいものがあるから、おカネを必要とするわけです。つまり、欲しいという欲望に対して、いまもっているものが不足しているからです。これが⑥経済学の原点です。

8　⑦私たちの欲望に対して、それを満たすものが相対的に少ないため、少ないものをどう活用すれば最大に欲望がかなえられるのか、これを考えるのが経済学です。欲望を充足させてくれるモノには限りがあります。この限りがあるモノのことを、希少

財、経済財、あるいは資源といいます。ちなみに、私たちが望む以上に存在するものを自由財といい、空気、水、石ころなどが相当します。この希少財をさまざまな欲望を満たす用途にどう振り分けたらよいか、これを考えるのが経済学です。

　希少財の最適配分という定義は、1920年代にイギリスの経済学者R.ロビンズによって与えられたもので、いまでもこれが一般的な定義として使われています。前述の株式投資の例は、ぴったり当てはまります。財布の中の1万円札をどう使うか、図書を買うのか、映画に行くのか、お酒を飲むのか。あるいは、講義が休講になり、空いた90分をどう使うか、これらも経済学の一例です。

■全体把握■

🔖 メタ・コンテンツを把握する

1. この文章のメタ・コンテンツは何ですか。{ }の中の適当なものを選びなさい。

経済学の{a. やさしさ　b. 難しさ　c. 便利さ}と、経済学とは{a. 何を考える　b. 誰のための　c. いつ始まった}学問かの説明

2. 文章の種類は何ですか。{ }の中の適当なものを選びなさい。

{a. 専門家　b. 大学生　c. 一般}向けの{a. 専門書　b. 入門書　c. 論文}

■言語タスク■

> 1段落

1. 下線部①と同じ内容のものを選びなさい。

a. 興味はなかったが、経済学という学問の存在だけは知っていた
b. 経済学がどのような学問かということを詳しく知っていた
c. 読んだことがないというだけでなく、経済学の本がどこにあるのかさえ知らなかった
d. 興味がないというだけでなく、経済学という学問の存在さえ知らなかった

> 2〜5段落

2. テキストで挙げられている経済学の専門の研究が難しい理由を2つ書きなさい。

_____

_____

> 2段落

3. 下線部②と近いものはどれですか。適当なものを選びなさい。

 a. 専門書は当然難しいが、教科書や入門書はやさしいと感じさせることが多い
 b. 専門書はそれほど難しくないのに、教科書や入門書は難しいと感じさせることが多い
 c. 専門書は当然難しいが、教科書や入門書も難しいと感じさせることが多い
 d. 専門書も、教科書や入門書もやさしいと感じさせることが多い

> 3段落

4. 下線部③は、何の理由ですか。

_____

> 4段落

5. テキストの内容と合っているものを、全て選びなさい。

 a. 「限界効用」は、効用の限界、満足度の最も大きいところという意味である
 b. 「限界効用」は、効用の限界、満足度の最も大きいところという意味ではない
 c. 「限界効用」の意味は、漢字からは想像できない
 d. 「限界効用」の意味は、漢字を知っていれば想像できる

> 4段落

6. 下線部④は、どのような意味ですか。適当なものを選びなさい。

 a. うまく推測(すいそく)しておかないと
 b. 十分に理解しておかないと
 c. あいまいにしておかないと
 d. よく想像しておかないと

> 5段落

7. 下線部⑤は、どのような言葉ですか。テキストから抜き出しなさい。

_____

> 7段落

8. 下線部⑥とは何ですか。適当なものを選びなさい。

 a. 貧しいために、買いたいものが買えないこと
 b. どれだけもっていても、もっと欲しくなること
 c. おカネがあれば、どんなものでも買えること
 d. もっているものの量が欲しい量より少ないこと

■認知タスク■

> 1～5段落 　　　　　　　　　　　　　　　[論点を把握する] [複数の情報を関連付ける]

1. 筆者は経済学の難しさを述べていますが、その理由を挙げなさい。また経済学をマスターするためのポイントは何だと言っていますか。表の中に適当な言葉を書きなさい。

	どんなところが難しい？	マスターするポイント
1	専門用語_____ _____点	_____ _____こと
2	_____ _____点	_____ _____こと

> 2〜4段落　　　　　　　　　　　　　　　　　　　　　　　　何の例かを把握する

2. 下線部Ⓐの例として挙げられている言葉を、全て書きなさい。

　　_____

> 6段落　　　　　　　　　　　　　　　　　　　　　　　　論理展開を予測・把握する

3. 下線部Ⓑ「一般的な」と下線部Ⓒ「一般的」は、それぞれどこで一般的なのですか。適当なものを選びなさい。

　　a. 経済を専門としない普通の人々の世界

　　b. 経済の現実を知った社会人の世界

　　c. 実社会を知らない若者の世界

　　d. 経済学の研究者たちの世界

　　Ⓑの「一般的な」・・・（　　　）　　　Ⓒの「一般的」・・・（　　　）

> 8〜9段落　　　　　　　　　　　　　　　　　　　　　　句・文単位での言い換えを把握する

4. 下線部⑦は、どのように言い換えられていますか。言い換えられているところ2か所をテキストから抜き出しなさい。

　　_____

> 6〜9段落　　　　　　　　　　全体の流れを把握する　論点を把握する
論理展開を予測・把握する　何の例かを把握する　（関連➡ CR3）

5.「経済学とは何か」をテキストに沿ってまとめたものです。下線部に「経済学」の定義（ていぎ）と例を書きなさい。また（　）に適当な言葉を書き、{　}は適当なものを選びなさい。

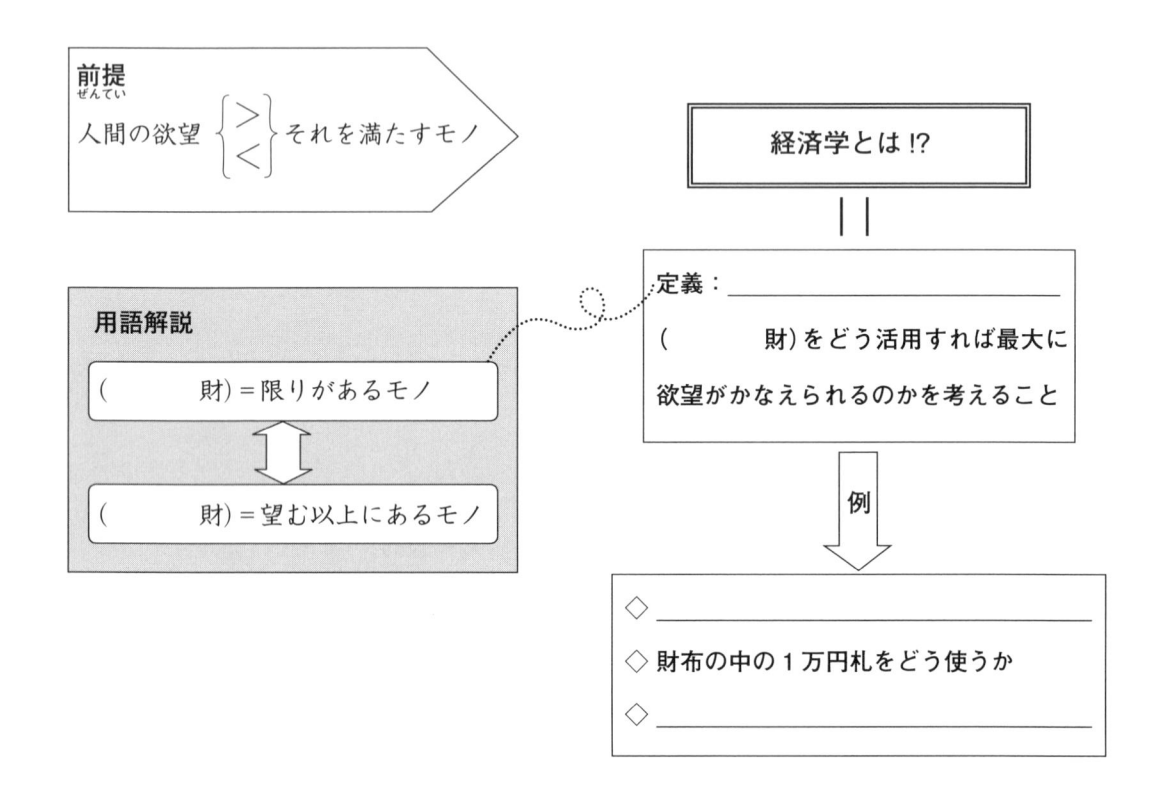

前提
人間の欲望 {>／<} それを満たすモノ

経済学とは!?
＝
定義：＿＿＿＿＿＿＿＿＿＿＿＿＿＿
（　　　財）をどう活用すれば最大に欲望がかなえられるのかを考えること

用語解説
（　　　財）＝限りがあるモノ
⇅
（　　　財）＝望む以上にあるモノ

例
◇＿＿＿＿＿＿＿＿＿＿＿＿＿＿＿＿
◇財布の中の1万円札をどう使うか
◇＿＿＿＿＿＿＿＿＿＿＿＿＿＿＿＿

▶▶▶ クリティカル・リーディング

1. ここで言っている「経済学」とは何かを、パラフレーズしなさい。（p.5 参照）

2. ① この文章を書いた筆者の狙いは何ですか。

② その狙いは、成功していると思いますか。

③ その狙いは、どのようなことを前提としていると考えられますか。

（関連➡認知 5）

3. 9 段落の最後で「これらも経済学の一例です」として筆者は非常に身近な例を挙げています。

① このように身近な例を挙げて説明する方法には、どのような利点と欠点があると考えられますか。

② このタスクに対して、リンさんが次のような意見を述べました。リンさんの意見はこの文章に対するクリティカル・リーディングとして妥当だと思いますか。

■リンさんの意見：
　身近な例を挙げる説明は、読者に経済学に親しみを持たせ、興味を持たせる効果があると思う。一方で、「経済学は日常的でわかりやすい学問だ」という誤解を与えないだろうか。心理学の入門書で「どんな行動が異性に好かれるか、これを考えるのも心理学の一例です」というようなものではないだろうか。これは俗に言う「心理学」かもしれないが、学問的な心理学ではないと思う。

頭を柔らかくする 複眼思考レッスン ❷

■ 違う角度からものを見るレッスンで、頭をほぐしましょう！■

これ何に使える？

①身の回りにある道具を一つ選ぶ。
②その道具が何に使えそうか、できるだけたくさん考える。

〈例〉「傘」は何に使える？：
・座ったまま、離れたものを取る
・玄関に置いて泥棒を叩く
・水を入れて金魚を飼う
・字を書いて看板にする

1. マグカップの使い道は？：

2. ドアの使い道は？：

3. 冷蔵庫の使い道は？：

他のものでも、やってみよう！

ポイント
・常識の枠（＝前提）を外して考えること！
・聞いた人は「おお、なるほど！」と賞賛する。

第5課 思いやり

読む前に

1. 「思いやり」「気働き(きく)」をあなたの母語に訳してください。
2. 日本語には「空気を読む」という表現がありますが、それはどういうことだと思いますか。
3. あなたのふるさとでは、どんなことをする(される)と「親切」だと感じますか。

学習目標

できること 1 抽象的な内容の教養書や専門分野の入門書を読み、問題提起、論点、筆者の主張、意図、分野の概要が把握できる

できること 2 エッセイやコラムを読み、比較、対照、構造化、アナロジーを押さえながら、筆者の主張、意図が把握できる

この課で身につけるスキル

評価してみよう！

	タスク番号	自分でわかった	授業でわかった
メタ・コンテンツを把握する	【全体1】		
論点を把握する			
⦿ 「思いやり」と「気働き」の意味的関連を把握する	【認知2】		
⦿ 「思いやり」という言葉がなぜ英語に訳しきれないのか、筆者の論点を把握する	【認知6】		
比較・対照する			
⦿ 文脈に頼る言語の文化と文脈に頼らない言語の文化を比較し、相違点を把握する	【認知4】		
原因と結果の関係を把握する			
⦿ 筆者の妹が怒った背景としてどのような文化があるかを把握する	【認知5-(1)】		
⦿ 筆者の妹が怒った原因を把握する	【認知5-(2)】		
⦿ 筆者の妹と客室乗務員がとった行動の因果関係を把握する	【認知5-(3)】		
構造・法則性を把握する			
⦿ 気働きの有無によって実際の文脈でどのような行動の違いが生じるかという法則性を把握する	【認知3】		
⦿ 文脈に頼る言語の文化と頼らない言語の文化の違いが、それぞれどのような行動の違いにつながるか把握する	【認知4】		
非明示的な背景・意図を推測する			
⦿ 調査の対象を推測する	【認知1】		

思いやり

清ルミ(著) (『優しい日本語 —英語にできない「おかげさま」のこころ』太陽出版 2007)

日本人にとって基本的な徳目の「思いやり」も
英語表現では①「人のため」という視点が訳しきれない

　日本国内で、教育や子育てに関する②意識調査を行うと、「思いやりのある子になって欲しい」「思いやりの心を育てたい」といった、「思いやり」をキーワードにした項目が支持される項目のトップになります。

　この「思いやり」という言葉の意味は、「相手の立場に立って、相手の気持ちや心情を推しはかり、気を配ること」です。

　この言葉を英語に訳そうとすると、「to be considerate of」（思慮のある）とか「to be thoughtful」（親切な）となりますが、これではなかなか相手の心情を推しはかるというような気配りは伝わりません。

　これは、③英語を母語とする英米人と日本語を母語とする日本人とでは、他人との関係で求められるものが異なるからだと思われます。

　イギリスやアメリカでは、社会生活を送る上で普遍的な善悪の基準がはっきりしていて、それに適合した行動をとることが良しとされます。

　一方、日本では、社会生活で必要なことは、「相手の気持ちになって考える」ということで、プリンシプル（原理原則）より感情の移入が重要視されるのです。

　④同じような性質の言葉としては、「気働き」という言葉があります。

　「仕事ができる人＝気働きができる人」といっても過言ではないくらい、社会生活を送るうえで「気働き」の大切さは説かれ続けてきました。

　「気働き」とは、「その場その場に応じて、すべきこととすべきでないことを機敏に

見極め、労をいとわずに望ましい行為のために意識を働かせて動くこと」を指す表現です。行為の目的が、自分の利益のためではなく、「周囲の人のために」「相手のために」という点が尊いとされます。

10 「気働きがある」を英語に訳せば、「be quick to take appropriate action」(すばやく適切な行動をとる)ですが、ここでもやはり「他人を大事にする」という点は表現できません。

11 「気がきく」も、同じです。

12 「be quick-witted」(頭の鋭い)とか「be considerate」(察しのいい)のように、「思いやる」や「気働きがある」と似たような英語に訳されますが、やはり、「人のために」という視点は英語に訳しきれません。

13 何回か来日しているフランス人のビジネスマンが、「⑤日本に来ると、自分が優しくなれる。自分がけっこういい人間だと思えてくる。それは、日本人が親切だから、自分もフランスにいるときより人に気遣いをするようになるから」と言っていました。

14 ⑥彼は、飛行機を利用するときは必ず日本の航空会社と決めているそうです。他の国の航空会社だと、「便箋ある?」と機内で客室乗務員に頼むと、便箋しか持ってこない。その点、日本の航空会社なら、「便箋」といえば、必ず封筒も一緒に持ってきてくれるから、と。

15 反対に、旅行添乗員をしていた私の妹の話。

16 アメリカの航空会社の飛行機に乗ったら、本を読むためのランプが故障していて点灯しなかったとのこと。さっそく客室乗務員を呼んで「このランプ壊れてるんですけど」と英語で伝えたら、「あ、そう」とすげない返事で去っていってしまったそうです。

17 「座席を変えるとか修理を試みるとか、なんとかしたらどうなの」と心の中で⑦怒ったと、妹は帰国後、私に怒りをぶちまけました。

18 「それはあなたが悪い」と私は言いました。

19 「ランプが壊れている」では、事実を述べたにすぎず、「だからどうして欲しい」ということまで言葉で表現しなければそのように動かないのが、文脈に頼らない言語

(英語など)の文化の特徴です。

　そこまで言わなくても、相手の状態を「思いやり」、「気働き」をして、座席を変えたり修理を試みたりするのは、文脈に頼る言語(日本語など)の文化で、相手に気を配る日本人ゆえの特性なのです。

■全 体 把 握■

📷 メタ・コンテンツを把握する

1. この文章のメタ・コンテンツは何ですか。{　}の中の適当なものを選びなさい。

「思いやり」等、英語に{a. できる　b. できない}ことばを通した、日本語の{a. 文学的　b. 文化的　c. 歴史的}特質の考察

2. 文章の種類は何ですか。適当なものを選びなさい。

　　a. 専門書　　b. エッセイ　　c. 新聞コラム　　d. 小説

■言 語 タ ス ク■

＞冒頭〜3段落

1. 3段落で訳そうとしている言葉と、その際に訳せない部分はそれぞれ何ですか。テキストから抜き出しなさい。

　　訳そうとしている言葉：＿＿＿＿＿＿＿＿＿＿＿＿＿＿＿＿＿＿＿＿＿＿

　　訳せない部分：＿＿＿＿＿＿＿＿＿＿＿＿＿＿＿＿＿＿＿＿＿＿＿＿＿＿

＞冒頭〜3段落

2. 下線部①と同じことが書かれている箇所を、テキストから抜き出しなさい。

　　＿＿＿＿＿＿＿＿＿＿＿＿＿＿＿＿＿＿＿＿＿＿＿＿＿＿＿＿＿＿＿＿＿

＞2〜9段落

3. 次の言葉の意味が書かれている箇所を、テキストから抜き出しなさい。

　　思いやり：＿＿＿＿＿＿＿＿＿＿＿＿＿＿＿＿＿＿＿＿＿＿＿＿＿＿＿＿

　　気働き：＿＿＿＿＿＿＿＿＿＿＿＿＿＿＿＿＿＿＿＿＿＿＿＿＿＿＿＿＿

> 1～6段落

4. 下線部③は、何の理由ですか。

_____

> 1～6段落   (関連➡ CR1)

5. A, Bは、どの国の社会生活で重要とされていますか。☐に国名を書きなさい。また、それぞれどのような言葉に言い換えられますか。☐に言葉を書きなさい。

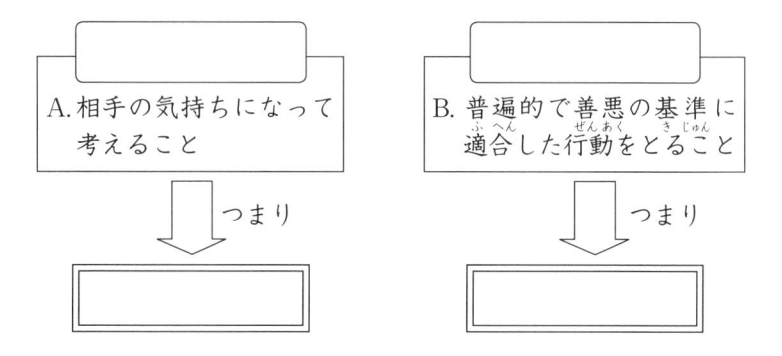

☐	☐
A.相手の気持ちになって考えること	B.普遍的で善悪の基準に適合した行動をとること
⬇ つまり	⬇ つまり
☐	☐

> 1～7段落

6. 下線部④の「気働き」という言葉は、何という言葉と同じような性質がありますか。

_____

> 13～14段落

7. 下線部⑤はなぜですか。

_____

■認知タスク■

> 1段落　　　　　　　　　　　　　　　　　　　　　　　　🖼 非明示的な背景・意図を推測する

1. 下線部②の調査は誰に対して行われたと考えられますか。

_____

> 全体　　　　　　　　　　　　　　　　　　　　　　　　　🖼 論点を把握する

2.「思いやり」と「気働き」はどのような点が同じなのですか。

_____

> 13〜20段落　　　　　　　　　　　　　　　　　　　　　🖼 構造・法則性を把握する

3. 下線部⑥はなぜですか。

　　　日本の航空会社の客室乗務員は_____から

> 14〜20段落　　　　　　　　　　　　　比較・対照する　　構造・法則性を把握する

4.

(1) ☐ の( )内に「日本語」「英語」のどちらかを書きなさい。

(2) 乗客が下記のように言った場合、A. 文脈に頼る言語の文化、B. 文脈に頼らない言語の文化の客室乗務員は、それぞれどのように対応すると考えられますか。下の ☐ の中から選びなさい。

A. 文脈に頼る言語　（　　　　　）の文化
B. 文脈に頼らない言語　（　　　　　）の文化

「便箋ある？」

[予想される対応]

A. →
B. →

「このランプ壊れてるんですけど」

A. →
B. →

a. 便箋と封筒を持って来る
b. 便箋だけ持ってくる
c. 何も持ってこない
d. 座席を変えたり修理を試みたりする
e. 返事をして去り、対応しようとする
f. 返事をして去り、対応しない

> 15〜20段落　　　　　　　　　　　　　　　　　　🎬 原因と結果の関係を把握する

5. 下線部⑦について、

(1)この人はa、bどちらの文化に属する人ですか。適当なものを選びなさい。

　　a. 文脈に頼る言語の文化

　　b. 文脈に頼らない言語の文化

(2)なぜ怒っているのですか。

_____

(3)この人が故障したランプを修理してもらうためには、B.の客室乗務員にどのように言ったらいいですか。

_____

> 全体　　　　　　　　　　　　　　　　　　　　　🎬 論点を把握する

6. 下線部①の原因は何ですか。適当なものを選びなさい。

　　a. 文脈に頼る日本語の文化では重要とされる「相手の気持ちになって考える」ということが、文脈に頼らない英語の文化ではそれほど重要とされていないため、言葉にもそういったニュアンスが含まれていないこと

　　b. 文脈に頼ることに慣れていない英語の文化では、自分中心にものを考えることが良いとされていて、「相手の気持ちになって考える」という発想がなく、そのことを表現できるような英語の言葉が存在しないこと

　　c. 「相手の気持ちになって考える」という視点を英語で表現することはできるが、それは「相手次第で態度を変える」とか「主体性がない」などの否定的なニュアンスになるため、意図が正確に伝わらないこと

　　d. 英語では、一つの言葉には一つだけの意味があるのが普通で、日本語のようにあいまいな複数のニュアンスが含まれることは基本的にないため、「思いやり」のようなあいまいな言葉は英語にならないこと

▶▶▶ クリティカル・リーディング

(関連➡言語5)

1. 5段落で「イギリスやアメリカでは」とひとくくりにされていますが、それは適切だと思いますか。

2. 5、6段落で「良しとされます」「重要視されるのです」と断定していますが、本当にそのように言えると思いますか。

3. 13〜17段落の2つのエピソードをパラフレーズしなさい。(p.5参照)

   便箋(びんせん)のエピソード：

   ランプのエピソード：

4. 13〜17段落の2つのエピソードは、筆者の論拠(ろんきょ)(6段落)を支えるのに適切ですか。これ以外に適当な例を考えなさい。

5. 思いやりという言葉が英語にはないのは、「普遍的な善悪の基準がはっきりしていて、それに適合した行動をとることが良しとされ」るからだと言っていますが、あなたはどう考えますか。

6. この本は、英語に訳しにくい日本語の言葉の数々を取り上げて解説した本です。あなたは、この「思いやり」以外の項目も読んでみたいと思いますか。

第6課 住まい方の思想

読 む 前 に

1. 今、あなたが住んでいる家や部屋には、十分な収納スペースがありますか。

2. そこに収納されているものの中で、生活に絶対必要なものは、どのくらいありますか。

3. 生きていくのに必要最低限のものだけを持つ、という暮らしをどう思いますか。

学習目標

できること 1　抽象的な内容の教養書や専門分野の入門書を読み、問題提起、論点、筆者の主張、意図、分野の概要が把握できる

できること 2　エッセイやコラムを読み、比較、対照、構造化、アナロジーを押さえながら、筆者の主張、意図が把握できる

評価してみよう！

この課で身につけるスキル

スキル	タスク番号	自分でわかった	授業でわかった
メタ・コンテンツを把握する	【全体1】		
論点を把握する			
◉ 文章全体の論点を把握する	【認知10】		
論理展開を予測・把握する			
◉ イチゴのスプーンの話から、筆者が生活に求めるものを把握する	【認知2】		
◉ イチゴのスプーンに代表されるものと逆の考え方を把握する	【認知3】		
明示的な主張・意図を把握する			
◉ 「生活の中の小さな幻影のやさしさ」が具体的に何を指すかを把握する	【認知8】		
比較・対照する			
◉ 「ぼくたちが信じている生活」とそれを否定することを対比する	【認知4】		
◉ 「選ばれた、少数の人間」と「弱い人間」を対比する	【認知7】		
◉ 「ぼくたちが信じる生活」とその対極の生活を比較する	【認知9】		
何の例かを把握する			
◉ 食器の種類や数の多さが何の例かを把握する	【認知1】		
非明示的な背景・意図を推測する			
◉ 「選ばれた、少数の人々」がどのような意味で選ばれた人々なのかという意図を推測する	【認知6】		
アナロジー・比喩がわかる			
◉ 「幻影を食べたり飲んだりしている」という比喩が何を指すかがわかる	【認知5】		

住まい方の思想

渡辺武信(著)（『住まい方の思想』中公新書 1983）

　ぼくたちの生を支えているのは、決して"絶対必要なもの"ばかりではない。それは実は数多くの"なくても済むもの"に支えられている。ぼくたちが何気なく過ごしているごく普通の生活を維持していくためにだけでも、よく考えれば、なくても済む物が、実にたくさん使われているのだ。

　身近な例をあげれば、①日本の平均的な家庭にある食器は、種類も数も、実に多い。これは、和洋中華の料理を日常的に食べ分ける日本の食生活の特殊性にも関っているのだが、たいていの家には、和食器、洋食器の他に中華丼や中華皿があるし、お茶を飲む道具にしても、湯呑、コーヒー・カップ、モーニング・カップ、デミタス・カップという風に種類が多い。ぼくは結婚した当時、妻と二人で考えて、たいていの食器類はそろえたつもりだったが、それでも、生活をはじめてみると、まだ細々としたものがいろいろと足りないのに気づいて驚いた。たとえば、湯豆腐をすくうレンゲとか、イチゴをつぶすスプーンとかは、両親の家にいた頃は何気なく使っていたのだが、いざ売場に行って食器類を買いととのえようとする時には、念頭に浮かばぬものである。②こうしたものはなければないで済む、とは言っても、やはりあった方がいい。

　イチゴにミルクと砂糖をかけてスプーンでつぶして食べる、という子どもっぽい食べ方が好きな同志には解っていただけると思うが、これを普通のスプーンでつぶそうとするとツルッと滑ってミルクがピチャッと撥ね、まことに　　A　　ものである。あの底の平らなスプーンを発明した人は実に　　B　　と思う。それにまた、イチゴを食べるスプーンがイチゴの形、という発想が実に　　C　　。つぶして食べない人でも、やっぱりあの見馴れたスプーンがないと　　D　　のではないか。　　E　　、とぼくは思う。

4　これと逆に、　F　、という考え方もあろう。しかし、そういう考え方をさらに延長していくとどうなるか？　湯呑茶碗でコーヒーを飲んだり、和風の丼でラーメンを食べたりしてもよい、③と言うことになりはしないか？　そういう考え方をすれば、液体を入れるコップ状の容器と、固形物を盛りつける皿とが、大、中、小あればたいていの用は足りてしまうので、食器の種類は激減するだろう。けれど、それは④ぼくたちが信じている生活を否定することではないだろうか。

5　ぼくは、たとえインスタント・ラーメンであっても、竜の模様なんかがついた中華丼で食べたいし、一本五百円の安ワインでも、コップではなくて、ワイングラスで飲みたいと思う。そういう風にして、食べたり、飲んだりした方がおいしい、というのは一つの大切な真実ではないだろうか。合理的な考え方からすれば、容器によって味が変わるはずもないのだから、おいしい、と思うぼくは⑤幻影を食べたり飲んだりしているのかも知れない。しかし、⑥そうした幻影を一つ一つ否定していったら、ぼくたちの生活に何が残るだろう。幻影がすべて消えた後に残るのは、たぶん、人間はなんのために生きているか、という問いかけだけである。そして⑦この問いに、素裸で直面できるのは、選ばれた、少数の人々だけではないだろうか。

6　だから、ぼくは、⑧弱い人間の一人として、⑨生活の中の小さな幻影のやさしさを大切にしていきたい。ということは、ぼくには中華丼もワイングラスも必要なのだ。⑩ぼくたちの生の意味は、イチゴのスプーン一本によって支えられていると言っても過言ではないのだ。

7　イチゴのスプーンを持つかどうかは個人の自由だが、幻影を維持していくために、ぼくたちは数多くの"物"の助けを必要としている。このように広い意味で精神性を付与された"物"はぼくたちの友人とも言える。そして、家が、そうした友人たちの住みかでもあるとすれば、家の中の"物"たちの場所、つまり収納スペースは、人間のためのスペースと同様に重要なものと考えなければならないだろう。

イチゴのスプーン

■全体把握■

📷 メタ・コンテンツを把握する

1. この文章のメタ・コンテンツは何ですか。{ }の中の適当なものを選びなさい。

{a. 本　b. 洋服　c. 食器}を例とした、私たちの生活を支える多数の{a. 必要不可欠な物　b. 不要だが大切な物　c. 役に立たない物}の意味に関する{a. 批判　b. 考察　c. 回想}

2. 文章の種類は何ですか。適当なものを選びなさい。

　　a. エッセイ　　b. 論文　　c. 報告書　　d. 専門書

■言語タスク■

> 2段落

1. 下線部②は、どのような意味ですか。適当なものを選びなさい。

　　a. ないと非常に困るが、どうしてもないのなら仕方がない
　　b. 絶対に必要とは言えないが、なるべくあったほうがよい
　　c. あってもなくてもよいものだから、どちらでもかまわない
　　d. あってもよいが、ないならわざわざ手に入れる必要はない

> 3段落

2. A ～ D に入る言葉として、適当なものを選びなさい。

A	B	C	D

　　偉い　　楽しい　　物足りない　　具合が良い　　具合の悪い

> 4段落

3. 下線部③は、どのような意味ですか。適当なものを選びなさい。

   a. 〜と言っているのと同じだ
   b. 〜と言っているわけではない
   c. 〜という意味かもしれない
   d. 〜という意味では決してない

> 5段落

4. 下線部⑥は、幻影を全て否定したらどうなると言っていますか。下線部に適当な言葉を書きなさい。

   幻影を全て否定したら、＿＿＿＿＿＿＿＿＿＿＿＿＿＿＿＿＿＿＿＿＿＿＿＿＿＿＿＿＿。

> 6段落

5. 下線部⑩は、つまりイチゴのスプーン一本が生の意味を支えていると言っていますか、支えていないと言っていますか。

＿＿＿＿＿＿＿＿＿＿＿＿＿＿＿＿＿＿＿＿＿＿＿＿＿＿＿＿＿＿＿＿＿＿＿＿＿＿

■認知タスク■

> 2段落　　　　　　　　　　　　　　　　　　　　　　　　　何の例かを把握する

1. 下線部①は、何の例として書かれていますか。適当なものを選びなさい。

a. 日本の食生活がいかに豊かでバラエティーに富んでいるかの例
b. 和洋中華の料理を日常的に食べ分ける日本の食生活の特殊性の例
c. なくても済む多くのものが私たちの生活に使われていることの例
d. 日本の住居がいかに無駄なものでいっぱいで使いにくいかの例

> 3段落　　　　　　　　　　　　　　　　　　　　　　　　論理展開を予測・把握する

2. 　　E　　に入る言葉として、適当なものを選びなさい。

a. そういう組み合わせにこだわるのが、良くも悪くも、ぼくたちが信じている生活というものなのだ
b. そういう組み合わせへのこだわりは、ぼくたちが信じている生活を維持するうえで邪魔になるのだ
c. そういう組み合わせにこだわるかどうかは、ぼくたちが信じている生活の質とは何の関係もない
d. そういう組み合わせへのこだわりを捨てることで、ぼくたちが信じている生活に一歩近づけるのだ

> 4段落　　　　　　　　　　　　　　　　　　　　　　　　論理展開を予測・把握する

3. 　　F　　に入る言葉として、適当なものを選びなさい。

a. 食器ひとつにこだわることこそ、人間にとっての文化だ
b. イチゴはスプーンよりもフォークで食べたほうがおいしい
c. あのスプーンがなければ、イチゴは絶対に食べたくない
d. イチゴを食べるのに、なにもあのスプーンがなくてもよい

> 4段落　　　　　　　　　　　　　　　　　　　　　　　　　　比較・対照する

4. 次のa.～d.の態度はそれぞれ、下線部④の「ぼくたちが信じている生活」と、それを「否定すること」のどちらに近いですか。

　a. それらしい容器や包装に惑わされず、中身の食品そのものを味わうこと
　b. 安い食品でも、それらしい食器で食べたほうがおいしいと感じること
　c. 合理的な考え方に従って、必要最低限のものだけを持つようにすること
　d. 人間はなんのために生きているかという問いに真正面から向き合うこと

「ぼくたちが信じている生活」	それを「否定すること」

> 5段落　　　　　　　　　　　　　　　　　　　　　　　　　アナロジー・比喩がわかる

5. 下線部⑤は、どのような意味ですか。適当なものを選びなさい。

　a. 食品そのものを味わっているというよりは、自分がそれに与えた意味を楽しんでいる
　b. 実際にはそこにない食品を、食べたり飲んだりしている自分を想像して楽しんでいる
　c. 栄養をとるためではなく、他人に優雅なイメージを与えるために飲食を行なっている
　d. 安い食品を高級な食品だと思い込んで、おいしいと信じて食べたり飲んだりしている

> 5段落　　　　　　　　　　　　　　　　　　　　　　　　非明示的な背景・意図を推測する

6. 下線部⑦は、どのような意味ですか。適当なものを選びなさい。

　a. 自分の人生の意味を問うときに、飾らずにありのままの現実を見る勇気のある人は少数であり、ほとんどの人は現実から目をそむけて良い面だけを見ようとしている。
　b. 人生の意味を問うような高尚で哲学的な問いに答えようとするなら、普通は理論的な武装が必要であり、何の準備もなしに自力で答えられるほど頭の良い人は少数だ。
　c. 多くの人は食べるために働くことで精一杯で、人生の意味を考えるような空虚な問いに関わっている暇はなく、それができるのは生活に余裕のある一部の人だけだ。
　d. 哲学者や宗教家のような限られた人を別にすれば、多くの人は人生の意味という根源的な問いを突き詰める強さはなく、日常のささいな楽しみに支えられて生きている。

> 6段落　　　　　　　　　　　　　　　　　　　　　　　　　　　　　比較・対照する

7. 下線部⑧は、どのような意味ですか。適当なものを選びなさい。

a. 人生から全ての幻影をそぎ落とし、ぎりぎりの本質だけを見ようと努力する特別な人
b. 人生の意味を正面から問うことには耐えられず、幻影を支えに生きている普通の人
c. 人生が幻影に支えられていることを知りながら、自分の目をごまかし続ける一部の人
d. 幻影が幻影であると気づかず、その幻影こそ生きる意味だと信じて疑わない多くの人

> 6段落　　　　　　　　　　　　　　　　　　　　　　　　　　　　　明示的な主張・意図を把握する

8. 下線部⑨は、具体的に何を指しますか。適当なものを全て選びなさい。

a. インスタントラーメンでも中華丼で食べれば本格的な中華料理だと感じる
b. 湯豆腐を食べるレンゲがなくても、あるもので代用すればよいと感じる
c. イチゴはイチゴの形のスプーンで食べたほうが楽しいし、おいしいと感じる
d. コーヒーは一人で飲むより家族といっしょに飲んだほうがおいしいと感じる
e. どんな容器に入れても、おいしいものはやはりおいしいと感じる
f. ワインはコップよりワイングラスで飲んだほうがおいしいと感じる
g. 安ワインでも高級ワインだと信じて飲めば、おいしいと感じる

> 全体   比較・対照する

9. テキストの内容と合うように、(　　　)に適当な言葉を書きなさい。また、{　　}の中の適当なものを選びなさい。

		「ぼくたちが信じる生活」	対極の生活
人		{大多数の弱い人間・選ばれた少数の人々}	{大多数の弱い人間・選ばれた少数の人々}
信条		生活の中の(　　　　　)のやさしさを大切にしたい	合理的に考える
人生の意味		正面から問わない	(　　　　　　　　　)
食器などの物	数や種類	{最小限・非常に多い}	{最小限・非常に多い}
	具体例	(　　　　　　　　　　　)	液体用の容器、固形物用の大、中、小の皿のみ
	感覚	中身に合った食器で飲んだり食べたりしたほうがおいしい	(　　　　　　　　　　　)
	精神性	{付与する・付与しない}	{付与する・付与しない}
収納スペース		{大きい・小さい}	{大きい・小さい}

> 全体   論点を把握する　(関連➡ CR4)

10. この文章の論点として、適当なものを選びなさい。

a. 食器ひとつにこだわることは子供っぽく見えるかもしれないが、その小さなこだわりにこそ人間が生きる本質があり、そのようなこだわりのない人生は生きるに値しない。

b. 私たちの生活には無駄なものが多いが、多くの人はそれが本質だと勘違いして幻影を追い求めている。そのことに気づいてはじめて、真に生活の質を高めることができる。

c. 私たちの生活は本質的に不要な多数の物に支えられているのであり、たとえ幻影であるにしても、自分はそうした物とそれによって生まれる生の真実を大切にしたい。

d. 私たちの生活はなくても済むものに囲まれているが、何が本当になくてはならないものかを考えて、小さなこだわりを捨てれば、もっと幸せに生きることができるはずだ。

▶▶▶ クリティカル・リーディング

1. この文章の筆者が、仮に次のような立場の人であったとしたら、どのような目的や意図でこの文章を書いたと推測できますか。また、これ以外の立場も考えてみましょう。

    例）住宅メーカーの広報担当者の場合＝収納スペースの豊富さが売りの住宅を売り出すため、宣伝したい

    ・住まいや収納のアドバイザーの場合＝＿＿＿＿＿＿＿＿＿＿＿＿＿＿＿＿＿＿＿＿＿＿

    ・収納に関心のある消費者の場合＝＿＿＿＿＿＿＿＿＿＿＿＿＿＿＿＿＿＿＿＿＿＿＿

    ・その他（　　　　　　　　　　）の場合＝＿＿＿＿＿＿＿＿＿＿＿＿＿＿＿＿＿＿

2. あなたの生活の中に、筆者の言う「イチゴのスプーン」や「中華丼やワイングラス」に当たるものがありますか。食器以外のものでも構いません。

3. 筆者の収納スペースに関する考え方が分かるように、7段落をパラフレーズしなさい。（p.5参照）

（関連➡認知 10）

4. ① 筆者の論点は、住まい方に関するあなた自身の考えに照らしてどうですか。共感できますか。それとも、違う考えですか。

    ② 筆者の「住まい方の思想」に従って家を建てるとすると、どのような家になると考えられますか。

約束事の再確認 ▶▶▶

① **テキストに沿う！**

　良くない例：「私の考えは違います。ある家に行ったら、物が少なくてすっきり片付いていて快適でした。余分な物のないシンプルな生活のほうがいいと思います」

　良い例：　　「私の考えは違います。筆者の言う豊かさが頭の中の幻影(げんえい)ならば、物がなくても実現可能だと思います。余分な物のないシンプルな生活がいいと思います」

② **根拠(こんきょ)を挙(あ)げる！**

　良くない例：「私も筆者と同じ意見です。生活は多くの不要なものに支えられていると思います」

　良い例：　　「共感できます。筆者は精神性が付与された物は友人だと言っていますが、私も思い出のある品物は大切だし、それが生活を豊かにすると思うからです」

第7課 決まった道はない。ただ行き先があるのみだ
— 獣医師・齊藤慶輔

読む前に

1. 絶滅の危機にある野生動物を何か知っていれば、挙げてください。
2. 「オオワシ」や「シマフクロウ」を見たことがありますか。どんな鳥ですか。
3. 現代社会で人間の生活は野生動物にどのような影響を与えていると思いますか。

学習目標

できること 1 抽象的な内容の教養書や専門分野の入門書を読み、問題提起、論点、筆者の主張、意図、分野の概要が把握できる

できること 2 エッセイやコラムを読み、比較、対照、構造化、アナロジーを押さえながら、筆者の主張、意図が把握できる

評価してみよう！

この課で身につけるスキル

スキル	タスク番号	自分でわかった	授業でわかった
メタ・コンテンツを把握する	【全体1】		
論点を把握する			
・文章全体を通じて語られる齊藤さんの主張を把握する	【認知9】		
論理展開を予測・把握する			
・傷が癒えたワシのリハビリを丹念に行う理由を把握する	【認知2】		
明示的な主張・意図を把握する			
・人間が野生動物に与える影響とそれに対する責任とは何かを把握する	【認知3】		
特定の情報のみを抽出する			
・野生の猛禽類が置かれている状況を把握する	【認知1】		
比較・対照する			
・齊藤さんがとった行動に対する行政やハンターの団体と、子どもたちの反応を比較する	【認知6】		
原因と結果の関係を把握する			
・ワシが鉛中毒になる原因を把握する	【認知4】		
非明示的な背景・意図を推測する			
・獣医師への脅迫電話や抗議の手紙の内容を推測する	【認知5】		
・「出口の見えない状況」が何を指すかを推測する	【認知7】		
複数の情報を関連付ける			
・齊藤さんがオオワシを救うためにとった行動とその結果を把握する	【認知6】		
アナロジー・比喩がわかる			
・「風向き」という比喩が何を指すかがわかる	【認知8】		

決まった道はない。ただ行き先があるのみだ
―獣医師・齊藤慶輔

NHK「プロフェッショナル」制作班(著)

(『「プロフェッショナル仕事の流儀」決定版 人生と仕事を変えた57の言葉』NHK出版新書 2011)

　端正な顔つきからは想像できないほど、齊藤慶輔さんの猛禽類(注1)に対する愛情は熱い。齊藤さんは全国でも数少ない、野生動物を専門に診る獣医師だ。北海道釧路湿原に環境省が設立した野生生物保護センターを拠点に、絶滅の危機に瀕する動物たちを救うべく、精力的に活動を行っている。野生動物のなかでもオオワシやシマフクロウなどの猛禽類の専門家である。

　①野生の猛禽類は厳しい状況に置かれている。森林の伐採や河川の整備によって、北海道の大自然も様変わりし、鳥たちの住処や獲物が急速に減っているからだ。かつて北海道の森のどこにでもいたシマフクロウは今、一部の深い森にしかいない。国内で確認されているのは、わずか120羽ほどだ。

　また、自動車や列車にはねられての交通事故もあとを絶たない。その治療が齊藤さんの日常的な仕事である。ペットや家畜と違い、野生の猛禽類の治療には教科書がない。齊藤さんは試行錯誤の末、自ら編み出した治療法を駆使して、ワシたちの治療にあたる。そして、②傷が癒えた後も丹念にリハビリを行い、最終的には、野に返すのが齊藤さんの目標である。身体の回復だけでなく、治療中に著しく衰えてしまっている警戒心や闘争本能を取り戻さなければ野生では生きていけない。実際、野に戻せるのは運び込まれた鳥たちの2割ほどだ。それでも鳥たちの治療やリハビリに心血を注ぐのは、③絶滅が絵空事ではないという強い危機感があるためだ。

　「正直、感情的になることがあるんですよ。人間って、こんなんでいいのかって。人間って、すごい悪影響を与えてしまっているんじゃないかとすごく切なくなる。ただ、④人間が与えてしまった悪影響がある以上、⑤それを人間が治して、また元に戻してやるというのが、私は人間の責任だと思うんです」

　齊藤さんが、野生動物を専門に診る獣医師になったのは、30歳のときだ。最初は

東京都内の動物病院で働いていたが、渡り鳥の生態に興味を持ち、研究者の調査に加わったことから、⑥北海道に設立された野生生物保護センターで働くことになった。間近で接するようになった猛禽類の高貴さに、齊藤さんは強く惹きつけられる。たとえば、⑦重傷を負っていてもワシやタカは人間が見ている限りは、シャキッと立っている。そっと物陰に隠れると、その瞬間にくたっとなる。絶対に弱みを見せない、誇り高き動物なのだ。

6 齊藤さんにとって忘れることのできない出来事が起き始めたのは、北海道に行って2年が経った頃だった。

7 ある日、死んだオオワシが一羽運び込まれてきた。外傷は全くなし。その日を境にして、瀕死のワシやワシの死体が堰を切ったように次から次に運び込まれ始めた。死因を調べると、どれも同じだった。鉛による中毒死。あまりの数の多さに齊藤さんは背筋が寒くなった。

8 ⑧「点滴をしようが解毒剤を打とうが、身体が反応しないで衰弱死してしまうケースがあとを絶たずっていう状況でした。本当に獣医師として、自分の力のなさと責任を感じました」

9 一体何が起こっているのか、必死に調べると、1羽のオオワシの胃のなかからシカの体毛と鉛の弾丸が見つかった。ハンターに駆除(注2)されたシカをワシがついばみ、ライフルの弾を一緒に飲み込んだことから、鉛中毒を発症したことがわかった。

10 オオワシは夏、ロシア東部で繁殖を行い、冬は南下し、朝鮮半島や北海道などで越冬する渡り鳥だ。開発による生息地の破壊や、交通事故や感電など人間の生活がもたらす軋轢によって、数が減り、今は絶滅危惧種(レッドリスト)に指定されている。それが毎日2羽も3羽も死体で運び込まれてくる。このまま鉛中毒が広がれば、さらに数が減り、⑨絶滅の危機に陥ると齊藤さんは直感した。

11 いてもたってもいられず、仲間たちと、行政やハンターの団体に鉛の弾を使わないでくれと直訴した。鉛の弾を毒性の低い銅などの弾に代えてもらえれば、オオワシやオジロワシの悲劇は防げる。しかし、鉛の弾は値段が安く殺傷力も高いため、なかなか取り合ってもらえなかった。それどころか、思い出したくないほどの⑩脅迫電話や

抗議の手紙を受け取った。そうしているうちにも、ワシの死体はどんどん運ばれてくる。齊藤さんは絶望的な気持ちになった。

鉛中毒が発見されて4年が経っても状況は変わらなかった。

この頃、齊藤さんはオオワシの繁殖地サハリンに調査に向かった。北海道と同様の鉛中毒がロシアでも起こっていないか、生態系への影響を調べるためだ。

ドライバーと4WDの車を雇い上げ、オオワシが繁殖を行う広大なツンドラや湿地帯に向かい、道なき道を進んだ。途中、原野のまったただなかで、車輪が泥に埋もれ、何度も立ち往生した。助手席にいた齊藤さんはドライバーをねぎらおうと何気なく声をかけた。

「ロシアはたいへんだね。予定通りにはいかないね」

すると、ロシア人のドライバーが片言の英語で答えた。

決まった道はない。ただ行き先があるのみだ

⑪深く考えずに言った言葉だったはずだ。しかし、行くべき道が見つからず、もがいていた齊藤さんの心に、その言葉は突き刺さった。

「何かドキッとしたんですよね。それまで必死に道を探していた。正しい道があるものと思い、その道を探していた。でも、決まった道なんてないんだって言われたわけですよ。目的を見失ったり、行き先を見失えば、それで終わりです。でも、それさえ見失わなければ、道は拓けるってことなんです。あるいは道は作れるってことなんです」

⑫出口の見えない状況は変わらない。しかし、この言葉に齊藤さんはとてつもない勇気をもらった。暗闇のなかで出口を探す勇気をもらったのだ。

日本に帰ると、もう一度考えた。オオワシを救うために、自分にできることは何なのだろう。そうして取り組み始めたのが、小学校などでの出前授業(注3)や講演会だった。これまでは行政やハンターに訴えかけてきたが、当事者だけでなく、子どもや一般の人々にもワシの鉛中毒の実態を知ってもらおうと考えた。齊藤さんは仲間ととも

に時間を見つけては、講演会を開き、今、ワシたちの身に起こっていることを懸命に語った。

22　ある日、見知らぬハンターから電話がかかってきた。

23　「先生、うちの息子の理科の時間に鉛中毒のお話をされましたよね」

24　また抗議の電話かと、齊藤さんは身構えた。

25　「はい。しました」

26　「いやあ、息子が「父ちゃん、鉛、使ってないよな」って言うんだよ。「使ってないよ」って言うしかないじゃない。無毒な弾って何さ？　教えてくれないか」

27　⑬風向きが明らかに変わり始めた。齊藤さんのもとには無毒の弾のことを教えてほしい、鉛の弾をやめたいという連絡が続々と入ってきた。その後、北海道のシカ猟では実質的に鉛の弾は使用禁止になった。絶望的に思えた状況に、確かな風穴が空いた。

28　その後、オオワシの鉛中毒は、大幅に減った。しかし、完全になくなったとはいえない現実が、目の前にある。禁止されていても鉛の弾を使う人が今も一定数存在するのだ。

29　今も、齊藤さんは、ことあるごとに⑭あの言葉を思い出しながら、厳しい現実に立ち向かっている。

30　「困難にぶちあたってしまったときにできることっていうのは、所詮、自分の頭で考えて、周りをよく見て臨機応変に対処していくことしかないんですよ。そのときに、自分に言い聞かせる言葉として、そもそも道なんてないんだってところに立ち返るということです。そうすれば、もっとリラックスした気持ちで、もっと広く視野を持って、目的に向かっていけるってことです」

(注1)　猛禽類：鋭い爪と嘴を持ち、他の動物を捕食（または腐肉食）する習性のある鳥類の総称
(注2)　駆除：農産物などに害を与える鳥獣を追い払うあるいは殺して適正な数にすること
(注3)　出前授業：企業や団体、大学教員などが小中学校や高校に出向いて、様々な授業を行うこと

■ 全 体 把 握 ■

📷 メタ・コンテンツを把握する

1. この文章のメタ・コンテンツは何ですか。（　）に適当な言葉を書きなさい。また、{　}の中の適当なものを選びなさい。

野生の（　　　　）の保護に携わる（　　　　　）の人生と仕事に影響を与えた出来事と{a. 言葉　b. 信念　c. 決意　d. 助言}の紹介

2. 文章の種類は何ですか。適当なものを選びなさい。

　　a. 学術論文　　b. マニュアル　　c. ドキュメンタリー　　d. 小説の一節

■ 言 語 タ ス ク ■

> 3段落

1. 下線部③は、どのような意味ですか。適当なものを選びなさい。

　　a. 猛禽類の絶滅を防ぐ方法はない
　　b. 猛禽類の絶滅は現実に起こり得る
　　c. 猛禽類の絶滅は現実には起こり得ない
　　d. 猛禽類の絶滅を想像することはできない

> 5段落

2. 下線部⑥のきっかけになった出来事は何ですか。

> 5段落

3. 下線部⑦は、何の例ですか。

_____

> 8段落

4. 下線部⑧は、どのような意味ですか。適当なものを選びなさい。

    a. 点滴をしても解毒剤を打っても効果がなく、ワシが弱って死んでしまう
    b. 点滴や解毒剤をしようと思うのに獣医の体が動かず、ワシが死んでしまう
    c. 点滴や解毒剤を使えば助けることができるが、治療しないとワシが死んでしまう
    d. 点滴も解毒剤も打たないうちに、すぐに動かなくなってワシが死んでしまう

> 9～10段落

5. 下線部⑨は、何が「絶滅の危機に陥る」のですか。

_____

> 17段落

6. 下線部⑪は、誰が言った言葉ですか。

_____

> 29段落

7. 下線部⑭は、何を指していますか。テキストから抜き出しなさい。

_____

■認知タスク■

> 1～2段落　　　　　　　　　　　　　　　　　　　　　　　　　特定の情報のみを抽出する

1. 下線部①は、どのような状況ですか。

_____

> 3段落　　　　　　　　　　　　　　　　　　　　　　　　　　　論理展開を予測・把握する

2. 下線部②「傷が癒えた後も丹念にリハビリを行い」とありますが、なぜリハビリを行うのですか。

_____

> 4段落　　　　　　　　　　　　　　　　　　　　　　　　　　　明示的な主張・意図を把握する

3. 下線部④、下線部⑤はそれぞれ、どのような意味ですか。適当なものを全て選びなさい。

　a. 傷の治療の際に人間に馴れ過ぎて野生の本能を失ってしまうこと
　b. 野生動物が自動車や列車にはねられて瀕死の重傷を負う交通事故
　c. 治療の甲斐なく死んでしまったワシの死骸を元いた森に返すこと
　d. 傷ついた野生動物を治療して、リハビリを行ない、森に返すこと
　e. 森林の伐採や河川の整備による鳥たちの住処や獲物の急速な減少

　　人間が与えてしまった悪影響：_____

　　それを人間が治して、また元に戻してやる：_____

第7課　決まった道はない。ただ行き先があるのみだ

> 9 段落　　　　　　　　　　　　　　　　　　　　🖼 原因と結果の関係を把握する

4. ワシが鉛中毒になるのは、なぜですか。次のA～Eを順番に並べ替えなさい。

　　A. ワシの体内に鉛の弾丸が残る
　　B. シカの体内に鉛の弾丸が残る
　　C. ハンターが銃でシカを撃つ
　　D. ワシがシカを食べる
　　E. 鉛中毒になる

　　（　　）→（　　）→（　　）→（　　）→ E

> 11 段落　　　　　　　　　　　　　　　　　　　🖼 非明示的な背景・意図を推測する

5. 下線部⑩の内容は、どのようなものだと考えられますか。適当なものを選びなさい。

　　a. シカを撃つのに鉛の弾を使うなという主張は納得できないからすぐにやめるべきだ
　　b. ワシよりも絶滅の危険性が高い野生動物がいるから、そちらの保護を優先すべきだ
　　c. 貴重な野生動物がどんどん減少していくのは、野生生物保護センターの怠慢のせいだ
　　d. シカを撃つのに鉛の弾を使うとワシが鉛中毒を起こすから絶対に使ってはいけない

> 11～21 段落　　　　　　🖼 比較・対照する　　🖼 複数の情報を関連付ける　（関連➡ CR5）

6. 齊藤さんがオオワシを救うためにしたことは何ですか。（　　）に適当な言葉を書きなさい。

誰に対して	行政・ハンターの団体	（　　　　　　　　　　　　　）
何をしたか	（　　　　　　　　　　　）	（　　　　）や（　　　　）で （　　　　　　　）を訴えた
その結果	状況は変わらなかった	（　　　　　　　）は実質的に使用禁止になった

88

> 20 段落　　　　　　　　　　　　　　　　　　　　　非明示的な背景・意図を推測する

7. 下線部⑫は、どのような状況ですか。

    a. 問題が何であるかがわからない
    b. 問題の解決方法が見つからない
    c. 目的を見失っている
    d. 目的を持つことができない

> 27 段落　　　　　　　　　　　　　　　　　　　　　アナロジー・比喩がわかる

8. 下線部⑬は、どのような意味ですか。

    a. 齊藤さんが受ける脅迫や抗議の内容
    b. ワシの鉛中毒に対する社会の態度
    c. 野生動物駆除に関する法的な規制
    d. 野生動物の治療やリハビリの効果

> 全体　　　　　　　　　　　　　　　　　　　　　　論点を把握する

9. 齊藤さんの主張として、適当なものを選びなさい。

    a. 困難な問題があっても、解決したいという強い気持ちさえあれば、解決する方法は簡単に見つかる
    b. 困難な問題があっても、目的を見失わず、あきらめずに行動を続けるなら、解決の方法は必ず見つかる
    c. 困難な問題があっても、いずれ状況が変わって自然に解決するから、悩まずリラックスしていればよい
    d. 困難な問題があっても、人間の力で解決できることとできないことがあるから、できない場合は仕方がない

▶▶▶ クリティカル・リーディング

1. この文章はどのような読者を対象に書かれたものですか。たとえば、次の人々はどうか吟味してみましょう。また、これ以外にも考えられるものを出してみましょう。

    ・ドキュメンタリー番組が好きな人
    ・生き方のヒントになる言葉を求めている人
    ・オオワシなどの鉛中毒の問題に関心のある人々

2. この文章を読んで、齊藤さんに対してどのようなイメージを持ちましたか。そのイメージの形成に影響したのは、テキスト内のどの言葉や表現ですか。

3. 一つの言葉がどのような状況でどのように齊藤さんの人生を変えたのかを軸に、この文章全体をパラフレーズしなさい。(p.5 参照)

4. この本は、一流の仕事人の人生を変えた57の言葉を取り上げ、その言葉から読者が力を得るように、ということを狙いとして編集されています。あなたは、この本の他のところも読んでみたいと思いますか。それはなぜですか。

（関連➡認知6）

5. あなたが齊藤さんの立場だったら、鉛中毒を減らすために、どんな行動をすると思いますか。

第8課 メディアがもたらす環境変容に関する意識調査
― 電車内の携帯電話使用を例にして ―

読 む 前 に

1. 電車に乗っているとき、友人から電話がかかってきました。あなたはどうしますか。

  a. 電話に出て話をする b. 電話に出ない
  c. その他(　　　　　　　　)
  ⇒「出る」場合、{a. 普通に話す　b. 小声で話す　c. すぐに切る
    d. その他(　　　　　　　　)}

2. あなたのふるさとには、どんな「電車内でのマナー」がありますか。

3. あなたは、「電車内で携帯電話を通話に使用しない」というマナーがあることを知っていますか。

4. そのようなマナーはあったほうがいいと思いますか。

5. そのようなマナーが生まれたのは、どんな理由からだと思いますか。

学習目標

できること 1 論文の抄録、専門書の目次を目的に応じて読める

できること 2 学術論文の抄録を読み、研究の概要（目的・方法・結果・考察・結論）が把握できる

この課で身につけるスキル

評価してみよう！

	タスク番号	自分でわかった	授業でわかった

論理展開を予測・把握する
- 大学生がなぜ「電車内での携帯電話使用は控えるべき」だと考えているのか、多数派の意見を把握する 【認知2】
- 論文の結論に至る根拠を把握する 【認知4】

結論を把握する
- 論文の結論を把握する 【認知3】

特定の情報のみを抽出する
- 研究の目的を把握する 【認知6】

非明示的な背景・意図を推測する
- 意識調査の結果を、メディア環境の良好な設計に反映させることが具体的にどういったことなのかを推測する 【認知5】

抽象的記述と具体的記述を関連付ける
- 「メディア」「環境」が具体的に何に当たるかを把握する 【認知1】

メディアがもたらす環境変容に関する意識調査
― 電車内の携帯電話使用を例にして ―

石川幹人(著)（『情報文化学会論文誌　Vol.7 No.1』2000）

　本論文は，①メディアがもたらす環境変容に関する意識調査の一例を報告し，それを通して，メディア環境の設計における意識調査の役割の重要性を指摘する。本研究では，電車内の携帯電話使用は控えるべきというマナーに注目し，大学生の意識を調査した。いくつかの社会学の文献では共同体仮説（マナーは携帯電話が電車内の一時的な共同性を破壊することに由来する）が提唱されているが，本調査では音仮説（マナーは単に音がうるさいことに由来する）のほうが有力であるといった結果が得られた。しかし，共同体仮説を支持する少数意見も得られた。また，心理的な不安傾向との相関も調査したが，顕著な相関傾向は得られなかった。情報メディアの発展に伴って我々の生活様式に急速な変化が及んでいるので，こうした意識調査を機動的に行って，その結果がメディア環境の良好な設計に反映されることが望まれる。

■全体把握■

1. 文章の種類は何ですか。適当なものを選びなさい。

　　{a. 新聞　b. 学会誌　c. ビジネス雑誌} に掲載された {a. 論文　b. エッセイ　c. 新聞記事　d. 小説} の {a. 全文　b. 一部抜粋　c. 抄録}

■言語タスク■

> 全体

(関連 ➡ CR1)

1. 下線部①は、具体的にはどのような調査ですか。

_____

> 全体

2. 先行研究では、「電車内の携帯電話使用は控えるべきというマナー」の由来について、どのような仮説が立てられていましたか。

_____

> 全体

3. 抄録には普通、研究の目的・方法・結果・考察・結論などが書かれますが、このテキストで「結果」に当たるのはどの部分ですか。最初と最後の5文字を書きなさい（句読点を除く）。

						から							まで

> 全体

4. テキストの内容と一致しているものに○、一致していないものに×をつけなさい。

a. (　　) この調査の結果から音仮説が有力であることがわかった
b. (　　) 共同体仮説は全く支持されなかった
c. (　　) 電車内での携帯電話使用と心理的不安傾向は相関する
d. (　　) このような意識調査は、定期的に行うべきである
e. (　　) このような意識調査は、メディア環境の設計において重要である

■ 認 知 タ ス ク ■

> 全体　　　　　　　　　　　　　　　　　　　　抽象的記述と具体的記述を関連付ける　（関連 ➡ CR2）

1.「メディアがもたらす環境変容に関する意識調査の一例」が報告されていますが、この調査において「メディア」「環境」に該当するものは、それぞれ具体的に何ですか。

「メディア」：＿＿＿＿＿＿＿＿＿＿＿＿＿＿＿
「環境」　：＿＿＿＿＿＿＿＿＿＿＿＿＿＿＿

> 全体　　　　　　　　　　　　　　　　　　　　　　　　　論理展開を予測・把握する

2. この意識調査によると、大学生はなぜ「電車内での携帯電話使用は控えるべき」だと考えているのですか。多数派の意見を書きなさい。

＿＿＿＿＿＿＿＿＿＿＿＿＿＿＿＿＿＿＿＿＿＿＿＿＿＿＿＿＿＿＿＿＿＿＿＿

> 全体　　　　　　　　　　　　　　　　　　　　　　　　　　　　結論を把握する

3. この論文の結論は、何ですか。結論に当たる箇所をテキストから抜き出しなさい。

＿＿＿＿＿＿＿＿＿＿＿＿＿＿＿＿＿＿＿＿＿＿＿＿＿＿＿＿＿＿＿＿＿＿＿＿

> 全体　　　　　　　　　　　　　　　　　　　　　　　　論理展開を予測・把握する

4. 認知タスク3の結論に至る根拠は何ですか。適当なものを選びなさい。

　　a. 主な社会学の文献では、音仮説よりも共同体仮説が強く支持されていること
　　b. 時間のかかる意識調査は、情報メディアの急速な発展に追いつかないこと
　　c. 筆者が行なった意識調査で、文献の提唱する仮説と異なる結果が出たこと
　　d. 筆者が行なった意識調査で、共同体仮説を支持する少数意見が得られたこと

> 全体　　　　　　　　　　　　　　　　　　　　　　　　非明示的な背景・意図を推測する

5. この意識調査の結果を、メディア環境の良好な設計に反映させるとすれば、たとえばどのようなことが考えられますか。適当なものを選びなさい。

　　a. 電話がかかってきたら相手の声が文書で表示される技術を開発する
　　b. 耳の不自由な人がアナウンスを読めるよう車内に電光掲示板を設置する
　　c. 地下鉄内で携帯電話が使えるように地下の通信アンテナを増設する

> 全体　　　　　　　　　　　　　　　　　　　　　　　　特定の情報のみを抽出する

6. この研究の目的は何ですか。適当なものを選びなさい。

　　a. 調査に基づき、メディア環境の設計における意識調査の役割の重要性を示すこと
　　b. 電車内の携帯電話使用は控えるべきというマナーに関する大学生の意識を探ること
　　c. 携帯電話使用のマナーに関して共同体仮説を支持する文献の誤りを指摘すること
　　d. 電車内の携帯電話使用のマナーを守るべきだという社会一般の意識を高めること

▶▶▶ クリティカル・リーディング

(関連➡言語1)

1. 筆者がこの調査を大学生を対象に行ったことは妥当だと思いますか。それを判断するためには、何を調べればよいと思いますか。

(関連➡認知1)

2. 筆者はメディアの中でも携帯電話を取り上げていますが、それはなぜだと考えられますか。

3. 今なら、同様の目的で、どのようなメディアを取り上げて何を調査することが考えられますか。

頭を柔らかくする 複眼思考レッスン ❸

■「他にどんな可能性があるだろうか？」と考える練習です。■

仮説をつくろう！

◎自分で面白い仮説を立ててみる。

〈例〉「声の大きい人は長生きする」→大声で話すとストレスがなくなるから

「エコカーに乗る人は菜食主義」→地球と自分の健康を大切にするから

「家族の人数が多いほどカラオケが好き」→うるさいのに慣れているから

ポイント
・「なるほど、そうかも！」と思わせたら成功！
・証拠がなくても大丈夫。

第9課 改訂 介護概論
かいてい かいごがいろん

読む前に

1. 今までに、高校や大学、専門学校などで、レポートを書いたことがありますか。
2. 「レポートを書きなさい」という課題が出ました。その資料を集める際、あなたは何を利用しますか。
3. 参考になる本はどうやって見つけますか。
4. 本の中の参考になる部分はどのように探しますか。

学習目標

できること 1	論文の抄録、専門書の目次を目的に応じて読める
できること 2	専門書の目次を読み、目的に応じて目次からその本で読むべき箇所を見つける

この課で身につけるスキル

評価してみよう！

	タスク番号	自分でわかった	授業でわかった

複数の情報を関連付ける

- レポートの課題内容と目次を読んで、読むべき箇所がわかる 【認知2】
- 【認知3】
- 【認知4】
- 【認知5】

スキミングする

- 目次全体からその本のジャンルを把握する 【全体1】
- 目次全体からその本の種類を把握する 【全体2】
- 目的に応じて、目次からその本で読むべき箇所がわかる 【認知2】
- 【認知3】
- 【認知4】
- 【認知5】

スキャニングする

- 目次全体をさっと読んで、必要な情報を見つける 【認知1】
- 【認知2】
- 【認知3】
- 【認知4】
- 【認知5】

改訂　介護概論

小池妙子（編著）・丸山美知子 他（共著）（『社会福祉選書12　改訂 介護概論』建帛社 2006）

◇ 目　次 ◇

はじめに i

第1章　介護の概念と動向

（中略）

第2章　介護を必要としている人々の理解と介護の役割

1　人が生き生きと生きるために .... （小池）...... 34
  1. 生活の概念 34
  2. 暮らしの中に生きがいがある 36
2　日常生活行動の制限（規制） .... （池田）...... 38
  1. 生活行動の制限とニーズ 38
  2. 日常生活行動の制限と介護との関係 41
3　高齢者の心身の特徴と生活維持能力 .... （小佐井）...... 42
  1. 高齢者の身体的特徴 42
  2. 寝たきり高齢者の理解 47
4　身体機能障害をもたらす高齢者の疾病 .... （小佐井）...... 54
  1. 高齢者の代表的疾患 54
5　生活に支援が必要な障害者の特徴と介護の役割 .... （島崎）...... 64
  1. 障害がある人への理解 64
  2. 障害がある人のライフステージ 66
  3. 障害の発生時期と障害受容 68
  4. 障害の種類と程度 69
  5. 障害がある人の自立生活への意識 71
  6. 障害がある人が暮らす地域と社会的意識 73
6　社会生活に支障をもたらす障害者の特徴と介護の役割 .... （小池）...... 75
  1. 認知症の概念 75
  2. 認知症の主な原因疾患とその症状 75
  3. 認知症の主な症状・経過 77
  4. 認知症のケアで注意しなければならないポイント 81
  5. 介護に携わる人々へのアドバイス 87

7 　終末期にある人々の理解と介護の役割 ....（中山）......88
　　1. ターミナルケアとは 88
　　2. ターミナルケアをめぐる諸問題 88
　　3. ターミナルケアの場 90
　　4. 死に対する心理的変化 91
　　5. 身体的変化 92
　　6. 終末期の介護 93

第3章　介護援助の方法

1 　環境の整備と安全管理 ....（柳・小板橋）......102
　　1. 環境整備の必要性 102
　　2. 自立に向けて―心身の持てる力を引き出す 102
　　3. 事故防止は予防に焦点を当てて 103
　　4. 日々の環境整理―人と人，人と物との輪をつくる 105
　　5. 防犯・防災―家の内外からチェック体制 107
　　6. 住宅の改修 109
2 　日常生活行動の援助 111
　　1. 食事，排泄，身だしなみと清潔 ....（佐藤）111
　　2. ボディメカニクス，姿勢・体位・移動，移動空間の確保（柳・小板橋）125
3 　リハビリテーションとレクリエーション ....（奥山）......137
　　1. リハビリテーション 137
　　2. レクリエーション 141
　　3. リハビリテーション，レクリエーションと生活の広がり 143
4 　医療を必要としている人の対応 ....（佐藤）......147
　　1. 各症状に対する介護技法 147
　　2. 緊急・事故時の対応 153
5 　コミュニケーションの技術 ....（小池）......160
　　1. 人間関係の重要性 160
　　2. 相互関係に基づく介護の役割 161
　　3. 援助関係のための基本技術 163
6 　心理的援助活動（相談・支援） ....（小池）......173

第4章　介護過程展開の技法

(中略)

第5章　さまざまな場における介護活動

1　在宅における介護活動と社会資源の活用 ....(横尾)......200
- A. 訪問介護と在宅介護 200
  - 1. 訪問介護 200
  - 2. 在宅介護 202
- B. 在宅高齢者とその家族 204
  - 1. 在宅高齢者の特徴 204
  - 2. 在宅高齢者の家族の理解 205
- C. 在宅高齢者の援助の仕方 207
  - 1. 状況別援助の仕方 207
- D. 在宅介護と社会資源の活用 213
  - 1. 主な居住介護サービス（フォーマルサービス）............213
  - 2. 在宅介護支援センター 216
- E. 認知症対応型共同生活介護（グループホーム）における介護活動（小池）217

2　施設における介護活動と社会資源の活用 219
- A. 高齢者関係施設 ....(是枝) 219
  - 1. 高齢者関係施設の目的と役割 219
  - 2. 高齢者関係施設の介護活動のポイント 220
  - 3. 高齢者関係施設の介護活動の内容 221
  - 4. 介護活動のプロセス 223
  - 5. 高齢者関係施設での介護活動の展開 224
- B. 障害者関係施設 ....(島崎) 227
  - 1. 施設サービス契約利用制度への転換 227
  - 2. 障害がある人の生活と施設入所 228
  - 3. 障害がある人の施設における介護活動 231
  - 4. 社会資源の活用 232

第6章　利用者にとっての職種間の連携

1　記録と情報の共有化 ....(中山)......236
- 1. 記録の目的 236
- 2. 記録上の留意点 237
- 3. 記録の種類 238
- 4. 情報の共有化 239

2	介護活動とチームネットワーク	241
	1. チームケアの意義とチームワーク	241
	2. 利用者中心の視点に立った連携のあり方	242

3	介護保険制度下における職種間の連携	245
	1. 保健・医療・福祉の連携の必要性	245
	2. 社会福祉士および介護福祉士と医療との連携	246

第7章　家族支援と福祉用具の活用（奥山）

1	家族への生活維持援助	256
	1. 家族介護の状況	256

2	家族への介護援助	260
	1. 家族の介護能力と介護条件	260
	2. 介護と虐待	261
	3. 介護負担軽減への援助	262
	4. 介護の安全・危険管理	264
	5. 介護生活の継続	265

3	福祉用具・サービスの活用	266
	1. 福祉用具とは	266
	2. さまざまな福祉用具	266
	3. 介護保険の福祉用具サービス	267
	4. 身体拘束と福祉用具	267
	5. 福祉用具活用の考え方	270

（中略）

■索引　288

■全体把握■

1. この本を図書館で探します。どの棚に行けば見つけられますか。　　　☐ スキミングする

   a. 社会・経済・法律
   b. 文庫・新書
   c. 人文・教育・歴史
   d. 言語・語学
   e. 実用書
   f. 医学・福祉
   g. 音楽・芸術・写真
   h. 理工書
   i. 文芸書

2. この目次は、次の中のどれに当てはまりますか。　　　☐ スキミングする

   a. 実用書の目次　　b. 専門書の目次　　c. 専門誌の目次

■言語タスク■

1. 第2章 5「生活に支援が必要な障害者の特徴と介護の役割」を、意味のまとまりごとに区切るとどうなりますか。適当なものを選びなさい。

   a. 〈〈〈生活に支援が必要な〉障害者〉の特徴〉と〈介護の役割〉
   b. 〈〈〈生活に支援〉が必要な〉障害者〉の〈特徴と介護〉の役割

2. 第2章 5-5.「障害がある人の自立生活への意識」を、意味のまとまりごとに区切るとどうなりますか。適当なものを選びなさい。

 a. 〈〈〈障害がある〉人〉の自立生活〉への意識

 b. 〈〈障害がある〉人〉の〈自立生活への意識〉

3. 第3章 5-2.「相互関係に基づく介護の役割」を、意味のまとまりごとに区切るとどうなりますか。適当なものを選びなさい。

 a. 〈相互関係に基づく〉〈介護の役割〉

 b. 〈〈相互関係に基づく〉介護〉の役割

4. 第6章 2-2.「利用者中心の視点に立った連携のあり方」を、意味のまとまりごとに区切るとどうなりますか。適当なものを選びなさい。

 a. 〈〈〈利用者中心の視点〉に立った〉連携〉のあり方

 b. 利用者中心の〈視点に立った〈連携のあり方〉〉

5. 第6章 3-2.「社会福祉士および介護福祉士と医療との連携」を、意味のまとまりごとに区切るとどうなりますか。適当なものを選びなさい。

 a. 〈〈社会福祉士〉および〈介護福祉士〉〉と〈医療〉との連携

 b. 〈社会福祉士〉および〈〈介護福祉士〉と〈医療との連携〉〉

■認知タスク■

> 📖 スキャニングする

1. 「次の言葉を説明しなさい」という課題が出ました。どこを読みますか。

例： ターミナルケア　　第＿2＿章＿7＿　＿1＿

(1) 認知症　　　　　　第＿＿＿章＿＿＿＿＿＿＿＿
(2) リハビリテーション　第＿＿＿章＿＿＿＿＿＿＿＿
(3) 福祉用具　　　　　第＿＿＿章＿＿＿＿＿＿＿＿

> 📖 複数の情報を関連付ける　📖 スキミングする　📖 スキャニングする

2. 「高齢者の介護は、高齢者の自宅以外にどんなところで行われていますか。施設の種別を挙げ、そこでの介護活動の要点をまとめなさい」という課題が出ました。どこを読みますか。

第＿＿＿章＿＿＿＿＿＿＿＿＿＿＿＿
第＿＿＿章＿＿＿＿＿＿＿＿＿＿＿＿
第＿＿＿章＿＿＿＿＿＿＿＿＿＿＿＿

> 📖 複数の情報を関連付ける　📖 スキミングする　📖 スキャニングする

3. 「充実した介護を実現させるために、"協力態勢"は欠くことのできない要素の一つです。誰が、どのような"協力態勢"を整えることが重要か、まとめなさい」という課題が出ました。どこを中心に読みますか。また、それ以外に目を通しておくとよいところはありますか。

（中心に読むところ）　　第＿＿＿章＿＿＿＿と＿＿＿
（目を通しておくとよいところ）　第＿＿＿章＿＿＿＿＿＿＿
　　　　　　　　　　　　　第＿＿＿章＿＿＿＿
　　　　　　　　　　　　　第＿＿＿章＿＿＿＿

|📖 スキミングする|📖 スキャニングする|📖 複数の情報を関連付ける|

4. 「介護を必要とする高齢者が食事中に喉を詰まらせたときは、介護に携わる人はどのように対処すればよいですか。また、このような事故を防ぐために、どのような方策がありますか」という課題が出ました。どこを読みますか。

第_____章 _____ _____

|📖 スキミングする|📖 スキャニングする|📖 複数の情報を関連付ける|

5. 「高齢者の身体的衰えに伴う、住宅環境の問題点をまとめなさい」という課題が出ました。この目次を見て、参考にできそうなところを探しなさい。

第_____章 _____
第_____章 _____
第_____章 _____
第_____章 _____
第_____章 _____

▶▶▶ クリティカル・リーディング

1. この目次の構成・順序・形式・見出しの付け方などは、読者にとって分かりやすいと思いますか。

2. 20年後、この本をさらに改訂しようとしたとき、無くなる目次や増える目次はあるでしょうか。

3. この中で、あなたが読んでみたいと思う項目はどれですか。

第10課 ことばの構造、文化の構造
―共時的展開と通時的展開―

読 む 前 に

1. あなたのふるさとでは、食事の中で、次のものをいつ食べますか。

- ・ごはん
- ・サラダ
- ・スープや汁物
- ・肉料理
- ・魚料理
- ・香の物

> a. 食事の最初　b. 食事の前半　c. 食事の中頃
> d. 食事の後半　e. 食事の最後　f. 食事の間ずっと
> g. そのような食べ物はない

2. 食事のマナーなどで戸惑ったり困ったりしたことはありますか。

学習目標

できること 1　抽象的な内容の教養書や専門分野の入門書を読み、比較、対照、構造、アナロジーを押さえながら、問題提起、論点、筆者の主張、意図、分野の概要が把握できる

できること 2　専門分野の入門書の一節を読み、比較、対照、構造、アナロジーを理解し、筆者の主張、意図が把握できる

評価してみよう！

この課で身につけるスキル

スキル	タスク番号	自分でわかった	授業でわかった
メタ・コンテンツを把握する	【全体1】	□	□
全体の流れを把握する			
・筆者の経験とその解説がどこに書かれているかを把握する	【全体3】	□	□
論点を把握する			
・文章全体の論点を把握する	【認知8】	□	□
明示的な主張・意図を把握する			
・筆者の失敗の本質を把握する	【認知5】	□	□
比較・対照する			
・イタリアと日本の食事文化全体の構造を対照する	【認知6】	□	□
原因と結果の関係を把握する			
・Ｔ夫人が戸惑った原因を把握する	【認知1】	□	□
構造・法則性を把握する			
・日本とイタリアの食事文化における「項目に価値を与える全体の構造」とは何かを把握する	【認知6】	□	□
何の例かを把握する			
・カトリック教徒やイスラム教徒の話が何の例かを把握する	【認知2】	□	□
・筆者のエピソードが何の例かを把握する	【認知7】	□	□
抽象的記述と具体的記述を関連付ける			
・構造全体における要素の位置づけに関する抽象的記述が具体的に何に当たるかを把握する	【認知3】	□	□
・筆者の失敗した原因に関する抽象的記述が具体的に何に当たるかを把握する	【認知4】	□	□

ことばの構造、文化の構造
―共時的展開と通時的展開―

鈴木孝夫(著) (『ことばと文化』岩波新書 1973)

　数年前のことになるが、私は米国人の言語学者Ｔ氏と東京で親しくなった。彼はもともとはアメリカ・インディアンの言語を専門に研究していたが、終戦後の日本に、軍人として駐留していたこともあって、最近では日本語の歴史や方言にも興味を示しはじめ、遂に奥さんと三人の娘をつれて東京にやって来たのである。奥さんはイタリア系の人で、小学校の先生をしている。

　彼は古い日本家屋を一軒借り、畳に座蒲団、冬は炬燵に懐炉、そして三人の娘を日本の学校に入れるという、一家あげての見事な日本式生活への適応ぶりだった。

　或る日、アメリカの学者の習慣として、彼は多くの言語学関係の友人知人を、家に招待した。まずイタリア風のイカのおつまみなどで、カクテルを済ませた後、別室で夕飯ということになった。一同が座につくと、テーブルには、肉料理やサラダなどが並べられ、面白いことに、白い御飯が日本のドンブリに盛りつけて出されたのである。

　畳の上に座っていること、白い御飯であること、Ｔ氏たちが日本式生活を実行していることなどが重なり合って、一瞬私は、①この御飯を主食にして、おかずを併せて食べるのだという風に思ったらしい。目の前の肉の皿を取上げて、隣の人に廻そうとしかけた時、②私はＴ夫人が、かすかにとまどったような気配を感じた。

　間違ったかなと思った私は、御飯は肉と一緒に食べるのか、それとも御飯だけで食べるのかと尋ねると、夫人は笑いながら、③先ず御飯を食べて下さいと言う。

　私はその時、はっと気が付いた。この御飯は、イタリア料理では、マカロニやスパゲッティと同じく、スープに相当する部分なのだと。

　はたして、それは油と香辛料で料理した、一種のピラフのようなものだった。

　食事というものは、いろいろな条件に制約された、文化という構造体の重要な部分である。何をいつ食べるか、それをどう食べるか、食べていけないものは何かといっ

たことに関して、どの国の食事にも、さまざまな制限や規則が習慣として存在する。

9 　カトリック教徒は金曜日には獣肉を食べないし、イスラム教徒は、豚肉を不浄なものとして決して食べないというようなことは、誰でも知っている有名な事実であろう。

10 　しかしこのように、④何かを食べてはいけないという明示的な規則は、外国人にも比較的判りやすい。⑤ところが自分の国の食物と同じものが、外国の食事の中にありながら、その食物と他の食物との関係が、自国の食事の場合と違うという、つまり同一の食物の食事全体における価値が、文化によって異るときに、難かしい問題がおきるのである。

11 　白い米の飯は、日本食の場合には、食事の始めから終りまで食べられる。というよりは、米飯だけを集中的に食べることは、むしろいけないこととされている。おかずから御飯、御飯からお汁と、あちこち飛び廻らなければ、行儀が良いとは言えないのである。

12 　そこで米の飯と他の食物との、日本食における関係は、並列的・同時的であると言えよう。お汁に始まり、香の物に至るまで、米を食べてよいのである。

13 　ところが、食事の一段階ごとに、一品ずつの食物を片付けていく、通時的展開方式の性格の強い食事文化もある。西洋諸国ではこの傾向が強く、イタリアの食事も例外ではない。ここでは麺類や米の料理などは、ミネストラと称して、本格的な肉料理が始まる前に、済ませてしまうのだ。

14 　私がドンブリに盛られた白い御飯を見て、おかずも一緒に食べようと思った失敗は、⑥日本の食事文化に存在する或る項目を、別の食事文化の中に見出したため、これを自分の文化に内在する構造に従って位置づけ、日本的な価値を与えようとしたことが原因なのであった。

15 　文化の単位をなしている個々の項目（事物や行動）というものは、一つ一つが、他の項目から独立した、それ自体で完結した存在ではなく、他のさまざまな項目との間で、一種の引張り合い、押し合いの対立をしながら、相対的に価値が決っていくものなのである。

自分の文化にある文化項目（たとえば或る種の食物）が、他の文化の中に見出されたからといって、直ちにそれを同じものだと考えることが誤りなのは、⑦その項目に価値（意味）を与える全体の構造が、多くの場合違っているからである。

座蒲団　　　　　　　炬燵

■全体把握■

▣ メタ・コンテンツを把握する

1. この文章のメタ・コンテンツは何ですか。{　}の中の適当なものを選びなさい。

　　{a. 日米　b. 日伊　c. 日中}の{a. スープの材料　b. 肉類の調理法　c. ご飯の食べ方}の違いを例にした、Ⓐある項目の価値を決める{a. ことばの構造　b. 文化の構造　c. 言語と文化の関係}の解説

2. 文章の種類は何ですか。適当なものを選びなさい。

　　{a. 言語社会学　b. 文化人類学　c. 倫理学}分野の{a. 新書　b. 入門書　c. 小説}の一節

▣ 全体の流れを把握する

3. 例としての〈筆者の経験〉と、Ⓐの解説は、それぞれ何段落目から何段落目に書かれていますか。

　　例としての〈筆者の経験〉　：＿＿＿＿段落目　〜　＿＿＿＿段落目
　　Ⓐの解説　　　　　　　　　：＿＿＿＿段落目　〜　＿＿＿＿段落目

■言語タスク■

> 4段落

1. 下線部①は、どのような食べ方ですか。適当なものを選びなさい。

　　a. 御飯と肉を一緒に食べる
　　b. 御飯と肉を別々に食べる
　　c. 御飯だけ食べて肉を食べない
　　d. 御飯を食べてから肉を食べる

> 4段落

2. 筆者は肉の皿をどうしましたか。適当なものを選びなさい。

　a. 肉の皿を取上げたが、隣の人には廻さなかった。
　b. 肉の皿を取上げなかったし、隣の人にも廻さなかった。
　c. 肉の皿を取上げて、隣の人に廻した。
　d. 肉の皿を取上げて、夫人に廻した。

> 5段落

3. 筆者の質問に対し、T夫人は下線部③のように言っています。それはつまり次のうち、どちらだと言っているのですか。適当なものを選びなさい。

　a. 御飯は肉と一緒に食べる
　b. 御飯だけで食べる

> 11〜13段落

4. 日本で行儀が良い食べ方とは、どの食べ方ですか。また、イタリアでの食べ方はどれですか。

　日本：_____　　イタリア：_____

＊◯は御飯以外の食物です。

> 15段落

5. 文化と「個々の項目（事物や行動）」の関係として、適当なものを選びなさい。

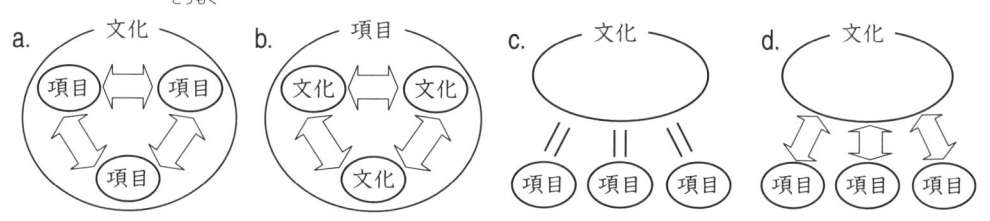

> 16 段落

6. 16段落の内容と合っているものを選びなさい。

   a. 2つの文化に同じ物があったとしても、全体の構造が違えば、その価値は同じではない。
   b. 2つの文化に似た物があるように見えても、よく見ると、まったく異なる物の場合がある。
   c. ある物が別の文化において同じ意味を持つかどうかは、それ自体の絶対的価値で決まる。
   d. ある文化全体の構造は、その文化を支える個々の項目の価値の総和によって形作られる。

■ 認 知 タ ス ク ■

> 4 段落　　　　　　　　　　　　　　　　　　　　　原因と結果の関係を把握する

1. 下線部②で、T夫人は何にとまどったのだと考えられますか。適当なものを選びなさい。

   a. 御飯をまだ食べ終わっていないのに、筆者が肉の皿を隣の人に廻そうとしたこと
   b. T氏たちは日本式生活を実行しているのに、筆者がテーブルの上の皿を取上げて、隣の人に廻そうとしてしまったこと
   c. T夫人でなく、筆者が肉の皿を取上げて、隣の人に廻そうとしてしまったこと
   d. 皆がまだ席についていないのに、筆者が肉の皿を取上げて、隣の人に廻そうとしてしまったこと

> 10 段落　　　　　　　　　　　　　　　　　　　　何の例かを把握する　（関連➡ CR1）

2. 下線部④の例として、適切でないものを全て選びなさい。

   a. カトリック教徒は金曜日に獣肉を食べてはいけない。
   b. イスラム教徒は豚肉を食べてはいけない。
   c. イタリアでは、肉料理と米の料理を一緒に食べてはいけない。
   d. 日本では、御飯を主食にしておかずを併せて食べなければならない。

> 3〜13段落　　　　　　　　　　　　　　　　　　抽象的記述と具体的記述を関連付ける　（関連➡ CR2, 3）

3. 下線部⑤の文を、T氏の家での筆者のエピソードに当てはめるとどうなりますか。下線部にあたる言葉を（　）に書きなさい。

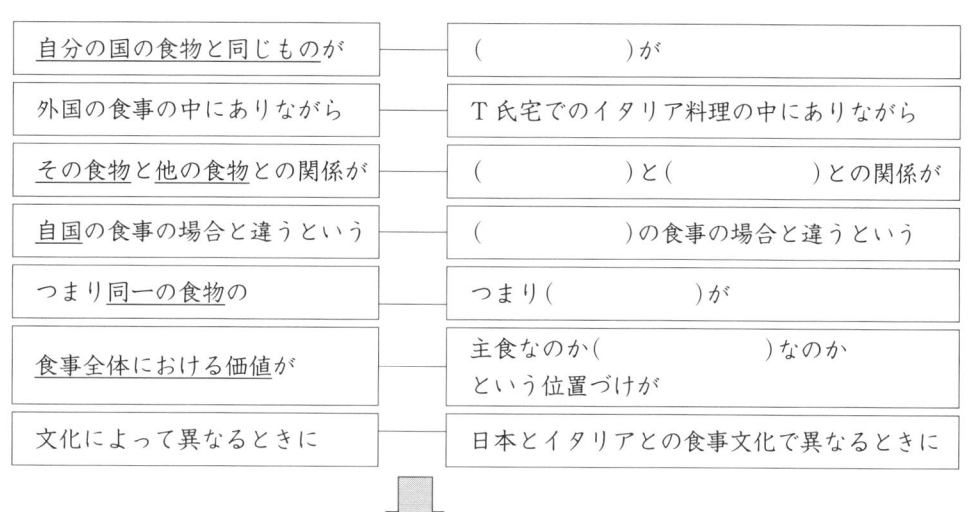

自分の国の食物と同じものが	（　　　　　）が
外国の食事の中にありながら	T氏宅でのイタリア料理の中にありながら
その食物と他の食物との関係が	（　　　　）と（　　　　　　）との関係が
自国の食事の場合と違うという	（　　　　　　）の食事の場合と違うという
つまり同一の食物の	つまり（　　　　　　）が
食事全体における価値が	主食なのか（　　　　　　）なのかという位置づけが
文化によって異なるときに	日本とイタリアとの食事文化で異なるときに

⬇

難しい問題がおきるのである

> 3〜14段落　　　　　　　　　　　　　　　　　　抽象的記述と具体的記述を関連付ける

4. 下線部⑥とは、筆者のエピソードに即して具体的に言うと、何をしたということですか。

_____

> 14段落　　　　　　　　　　　　　　　　　　　　明示的な主張・意図を把握する

5. T氏宅での食事の際の「失敗」の本質は何ですか。適当なものを選びなさい。

　a. 世界の食文化に関する基本的な知識の不足
　b. 慣れない状況の中で観察を怠った不注意さ
　c. 結果的にマナーに反する行動をとったこと
　d. 項目と構造を無自覚に結びつけた認識の仕方

> 全体　　　　　　　　　　　　　　　　　　　　　[構造・法則性を把握する] [比較・対照する]

6. 下線部⑦とありますが、日本とイタリアの食事文化の全体構造を一言で表す言葉をテキストから抜き出しなさい。

　　日本　　：＿＿＿＿＿＿＿＿＿＿＿＿＿＿＿＿＿＿＿＿＿＿

　　イタリア：＿＿＿＿＿＿＿＿＿＿＿＿＿＿＿＿＿＿＿＿＿＿

> 全体　　　　　　　　　　　　　　　　　　　　　　　　　　　　[何の例かを把握する]

7. 前半に書かれたT氏宅での筆者のエピソードは、何の例として書かれていますか。

＿＿＿＿＿＿＿＿＿＿＿＿＿＿＿＿＿＿＿＿＿＿＿＿＿＿＿＿＿＿＿＿＿＿＿＿＿＿

> 全体　　　　　　　　　　　　　　　　　　　　　　　　　　　　[論点を把握する]

8. この文章の論点は何ですか。適当なものを選びなさい。

　a. ある事物や行動を自分の文化にも異なる文化にも見出した場合は、まず自分の文化の基準で考えてみればよい。

　b. ある事物や行動を自分の文化にも異なる文化にも見出したとしても、文化全体の構造が違えば、その事物や行動の価値も違う。

　c. ある事物や行動を自分の文化にも異なる文化にも見出したときは、その事物や行動がどのような価値を持っているのか、まず聞いてみるのがよい。

　d. ある事物や行動を自分の文化にも異なる文化にも見出したとしても、異なる文化においては、事物や行動に対する考え方が違うので、その文化に合わせなければならない。

▶▶▶ クリティカル・リーディング

(関連➡認知2)

1. 10段落で「何かを食べてはいけないという明示的な規則は、外国人にも比較的判りやすい」とし、カトリック教徒やイスラム教徒の例を挙げていますが、あなたにとってこの例はわかりやすいですか。他にもっとわかりやすい例はないでしょうか。

(関連➡認知3)

2. 10～13段落を、主旨が分かるようにパラフレーズしなさい。(p.5参照)

(関連➡認知3)

3. 2つの文化に同じものがあるが全体の中での位置づけが違う例として、筆者は文中の「白い御飯」の他に、同じ本の中で次のような例も挙げています。下の例を参考に、これ以外にどのような例があるか考えてみましょう。

> 日本人が友人知人に出会った時の、一番普通な挨拶は、おじぎである。ところが、その日本人が、この頭を下げる挨拶の代りに、西洋人は一般に握手をするということを知ると、誰彼の見さかいなく握手をするようになる。つまり頭を下げる挨拶と、握手とを、互いに等しい価値を持った行動と解釈するわけである。ところが、実際には、頭を下げる日本流の挨拶を、日本人同士の間でしてもよい場合のすべてが、握手で置き換えできるわけではない。たとえば、こちらが男であって、相手が婦人であるときは、先方が手を出すのを待つことが礼儀とされる国もある。出会った人の誰彼かまわず、こちらから握手することは、つまらぬ誤解を生むことにさえなりかねない。

(鈴木孝夫『ことばと文化』p.5)

頭を柔らかくする 複眼思考レッスン❹

■ 自由な発想で、意外なもの同士の共通点を見つけましょう！■

仲間同士⁉

◎チームで、下のリストにある項目を4つのグループに分ける。

◎分け方を変えて数回繰り返す。分けられなくなったら負け。

■項目リスト

フライパン、やかん、皿、スプーン、コップ、ノート、定規、消しゴム、ハサミ、サッカーボール、テニスラケット、アイススケート、スニーカー、スコップ、植木鉢、花、バケツ、愛、努力、時間

※ 巻末の項目カードを切って使うと便利です。

〈グループの例〉：丸っこいもの、毎日使うもの、もらうとうれしいもの…

ポイント

①すべての項目を分ける。「余り」はつくらない。

②各グループに最低3個入れる。

③なぜそのように分けたか、根拠を説明する。

第11課　観光で行きたい国はどこ

読　む　前　に

次のアンケートに答えてください。

> Q1. 次のどこの国を見たいですか。1つだけ選んでください。
> 　　　アメリカ　　イギリス　　フランス　　ドイツ　　イタリア
> 　　　スイス　　ギリシャ
>
> Q2. 次のどこを見たいですか。1つだけ選んでください。
> 　　　ニューヨーク（New York）　　ロンドン（London）
> 　　　パリ（Paris）　　ベルリン（Berlin）　　ローマ（Rome）
> 　　　ジュネーブ（Geneva）　　アテネ（Athens）
>
> Q3. 次のどこを一番見たいですか。1つだけ選んでください。
> 　　　ナイアガラ（Niagara Falls）　　大英博物館（British Museum）
> 　　　モンマルトルの丘（Montmartre）　　ライン川（the Rhine）
> 　　　ピサの斜塔（Leaning Tower of Pisa）　　アルプス（the Alps）
> 　　　パルテノンの神殿（Parthenon）

学習目標

できること 1 抽象的な内容の教養書や専門分野の入門書を読み、比較、対照、構造、アナロジーを押さえながら、問題提起、論点、筆者の主張、意図、分野の概要が把握できる

できること 2 専門分野の入門書の一節を読み、調査結果を比較、対照しながら、筆者の主張が把握できる

この課で身につけるスキル

評価してみよう！

	タスク番号	自分でわかった	授業でわかった
📷 メタ・コンテンツを把握する	【全体1】	☐	☐
📷 論点を把握する			
◉ 文章全体の主旨を把握する	【認知6】	☐	☐
📷 論理展開を予測・把握する			
◉ 二つの調査の結果が理屈上どうなるかを把握する	【認知3】	☐	☐
📷 明示的な主張・意図を把握する			
◉ 調査票をどのようにしたらよいかという筆者の主張を把握する	【認知4】	☐	☐
📷 比較・対照する			
◉ 資料2-1と2-2の調査スタイルを比較し、相違点がわかる	【認知5】	☐	☐
📷 構造・法則性を把握する			
◉ 調査結果の表の見方を理解し、調査票にあった国名を推測する	【認知2】	☐	☐
📷 非明示的な背景・意図を推測する			
◉ 世論調査の結果に「なるほど」と思うことの何が問題なのか、筆者の意図を推測する	【認知1】	☐	☐

観光で行きたい国はどこ

平松貞実(著) (『世論調査で社会が読めるか―事例による社会調査入門』新曜社 1998)

　世論調査の結果を見ると「なるほど」と思ってしまう。しかし①それでいいのだろうか。そこで問題を一つ考えてみよう。表題の「観光で行きたい国はどこ」である。調べ方はいろいろある。『観光白書』で出国する統計を見るのも一つである。旅行業者のベテランに聞いてみるのもいいだろう。かなり的確な結果が得られるであろう。だが、②それらは諸条件に縛られた結果であって、ほんとうに行きたいところかというと疑問がある。ハワイに行く人がハワイに行きたいのか時間やお金の関係でハワイで我慢したのかまではわからない。将来の予測や新しいパック旅行を開発するとなると、どうしても人びとの"行きたいところ"を調べる必要がでてくる。そこで世論調査やマーケティング・リサーチという手法が登場ということになる。

　学生を対象とした次ページの三つの調査結果を見てもらいたい。一つは日本から遠いアメリカ、ヨーロッパの七カ国から一つを選ばせたものである。「どこの国を見たいか」と聞いたところ、ドイツ、次いでアメリカとなっている。普通ならこの結果を見ておしまいである。だが私は意地悪く別のグループに別の質問を試みてみた。対象者は別だが、条件は同じ学生たちである。国名でなく代表的な都市名で聞くとアテネ(ギリシャ)、ローマ(イタリア)となった。さらにもう一つのグループには代表的な観光地で聞いた。アルプス(スイス)、パルテノンの神殿(ギリシャ)になった。質問の仕方が違うのだから結果も違って当然と言えばそれまでだが、A調査、B調査、C調査のどれを見るかで印象は違うであろう。

　さて、自分で行なった調査を自分で批判するのもへんな話だが、国名、都市名はともかく、代表的な観光地の七つの例はこれでよいのか疑問である。なぜ大英博物館があってルーブル美術館がないのか。なぜパリの代表がモンマルトルの丘か。ドイツがライン川というのは妥当か、など。③三問目の質問は上二つとの"差"を出すために

行ったもので、各国一つとしたことにまず無理がある。各国せめて三つぐらいの観光地をあげるといったことが必要であろう。ここでは、「どこに行きたいか」という簡単な調査でもその仕方によって全く違う結果が出るということを知ってもらうための実験と受け止めてもらいたい。

資料2-1　行きたいところはどこ，3種類の調査

「行きたいところはどこか」という調査を3種類行なった。「国」で聞くのと，「都市」で聞くのと，「観光地」で聞くのでは結果から得る印象は全く違う。

A調査
問　次のどこの国を見たいですか。1つだけ選んでください。

アメリカ	イギリス	フランス	ドイツ	イタリア	スイス	ギリシャ
24%	8%	11%	26%	11%	11%	11%

B調査
問　次のどこを見たいですか。1つだけ選んでください。

ニューヨーク	ロンドン	パリ	ベルリン	ローマ	ジュネーブ	アテネ
5%	16%	5%	16%	26%	8%	28%

C調査
問　次のどこを一番見たいですか。1つだけ選んでください。

ナイアガラ	大英博物館	モンマルトルの丘	ライン川	ピサの斜塔	アルプス	パルテノンの神殿
10%	19%	10%	2%	7%	29%	24%

1991年4月　東洋大学学生　集合調査法
　A調査：39人　B調査：38人　C調査：42人

一問目にもどろう。「どこの国を見たいですか」という質問で④国名が七つとは少ない。もう少し多くすべきではないか、と思われるであろう。当然である。⑤そこで19か国から選ばせる調査も行なってみた。それでも行きたい国が網羅されるとは限らないから、「その他」というのを設けて具体的に書いてもらうことにした。

　これは⑥ごく普通の調査のスタイルだが、一部の国名を変えて二通りの調査を行なった。行きたい国がなくても「その他」で書けばいいわけだから、⑦理屈でいえば二つの調査結果はそう違わないはずである。ところが結果は違った。ギリシャをみると、国名があった方では20パーセントだが「その他」ではゼロだった。エジプトは国名をあげた調査では23パーセントだったが「その他」であがったのは2パーセントでしかない。スイス、カナダなども大きな差が見られる。例外的に二つの調査で差がなかったのはトルコだけであった。ちなみに、23番目以下はどちらの調査票にも国名が示されなくて「その他」にあがってきたものだが、二つの調査にそう大きな差は見られない。

　国名をあげてなくても「その他」で答えられた国はいくつかある。「その他」の項を設ける意味はそれなりにある。しかし、回答が用意されたものと「その他」であがってきたものとでは⑧数字の持つ意味が全く異なるということを理解しておく必要があろう。「その他」を設ける意味は、第一には調査に協力してくれる回答者に答えを押しつけないという配慮である。第二は調査を企画した側が落としているものがなかったかを確認するためである。⑨最初に用意する回答（選択肢という）が網羅的でなければならないことは言うまでもないことである。

資料2-2　是非行ってみたい国

「是非行ってみたい国」を調査した。国名をあげておいて選ばせる方法での調査。東洋大学の学生を対象にA，B 2種類の調査票で調査した。上段はA調査，下段はB調査の数字。A，Bとも国名は19だが一部異なっている。（　）の数字は「その他」のところに書かれた回答。調査票にあらかじめ国名がないと回答としての出方が少ないことが，2つの調査を比べるとわかる。

問　あなたが是非行ってみたい国を3つ選んで下さい。

アメリカ	カナダ	イギリス	フランス	ドイツ	イタリア
32	17	19	17	25	12
38	(5)	19	17	31	14
スイス	ギリシャ	ソ連	オーストリア	ポーランド	イスラエル
15	20	15	6	3	(2)
(3)	(―)	20	9	2	11
トルコ	エジプト	オーストラリア	中国	韓国	タイ
(2)	(2)	34	20	5	―
2	23	33	25	6	5
インド	インドネシア	シンガポール	台湾		
11	5	8	2		
9	2	5	3		
スエーデン	ブラジル	オランダ	スペイン	ニュージランド	ペルー
(5)	(3)	(3)	(2)	(2)	(2)
(―)	(―)	(―)	(3)	(2)	(2)
フィンランド	その他合計				
(2)	(12)				
(2)	(8)				

(注) ギリシャ，エジプト，スイスなどを見ると国名が示された場合とそうでない場合の数字の差は驚くほど大きい。
　　「その他合計」はそこに〇を付けた人の％

　1990年7月　東洋大学学生　集合調査法
　　A調査：65人　B調査：64人

■ 全 体 把 握 ■

📷 メタ・コンテンツを把握する

1. この文章のメタ・コンテンツは何ですか。（　）に適当な言葉を書きなさい。

社会調査の（　　　　）がその（　　　　）に影響を与えることを（　　　　）とともに
示した解説

2. 文章の種類は何ですか。適当なものを選びなさい。

　　　a. 論文　　b. 実用書　　c. 白書　　d. 教養書

■ 言 語 タ ス ク ■

> 1段落

1. 下線部②とは何ですか。

_____

> 2段落

2. 資料2-1で、筆者が質問を変えてA, B, C, 3種類の調査を行った目的は何ですか。テキストから抜き出しなさい。

_____

> 3段落

3. 下線部③の「三問目の質問」「上二つ」とはそれぞれ何を指していますか。

　　「三問目の質問」：_____
　　「上二つ」　　　：_____
　　　　　　　　　　_____

> 4段落

4. 下線部④とありますが、なぜそのように言うのか、その根拠になっている筆者の考えをテキストから抜き出しなさい。

_____

> 4段落

5. 下線部⑤とありますが、「19か国」は網羅的であると筆者は言っていますか。

_____

> 5段落

6. 下線部⑥はどんなスタイルですか。適当なものを選びなさい。

   a. 国名を挙げて選択式とし、「その他」の自由記述欄を設けないスタイル
   b. 国名を挙げて選択式とし、「その他」にどうしてその国を選んだのかを具体的に書いてもらうスタイル
   c. 国名を挙げて選択式とするが、その中に行きたい国がなければ「その他」に記述してもよいというスタイル
   d. 行きたい国を全て記述してもらうスタイル

> 6段落

7. 下線部⑧の「数字」とは何の数字ですか。適当なものを選びなさい。

   a. 選択肢に国名がいくつ示されているかという個数
   b. 「その他」であがってきた国の数
   c. 回答が用意されたもの(選択肢)と「その他」であがってきたものの人数
   d. 回答が用意されたもの(選択肢)と「その他」であがってきたもののパーセンテージ

> 4〜6段落

8. 下線部⑧とありますが、「数字の持つ意味」はテキストに書かれていますか。

> 6段落

9. 下線部⑨は、どのような意味ですか。適当なものを選びなさい。

 a. 選択肢は網羅的にならないように配慮する必要がある。
 b. 選択肢は網羅的にしてもしなくてもあまり問題にはならない。
 c. 選択肢は網羅的である必要はない。
 d. 選択肢は当然網羅的にしておかなければならない。

> 6段落

10. 調査票に「その他」を設ける理由を2つ書きなさい。

 ・ _____
 ・ _____

■認 知 タ ス ク■

> 1段落　　　　　　　　　　　　　　　　　　　　　　　　非明示的な背景や意図を推測する　（関連➡ CR3）

1. 下線部①と言っていますが、何を問題にしていますか。適当なものを選びなさい。

 a. 世論調査という不完全な方法に頼って世論を探ろうとしている点
 b. 自分で調査をせず、他の人がした調査の結果だけを利用している点
 c. 世論調査の結果だけを見て、何も疑わずにそのまま信じてしまう点
 d. 世論調査の結果を他の調査結果と比較して確認していない点

> 5段落　　　　　　　　　　　　　　　　　　　　　　　　　　　構造・法則性を把握する

2. 資料2-2を読んで、A, Bそれぞれの調査票(ひょう)に書かれていた選択肢(せんたくし)(国名)に○をつけなさい。

【A調査】

アメリカ	カナダ	イギリス	フランス	ドイツ	イタリア
スイス	ギリシャ	ソ連	オーストリア	ポーランド	イスラエル
トルコ	エジプト	オーストラリア	中国	韓国(かんこく)	タイ
インド	インドネシア	シンガポール	台湾		
スエーデン	ブラジル	オランダ	スペイン	ニュージーランド	ペルー
フィンランド					

【B調査】

アメリカ	カナダ	イギリス	フランス	ドイツ	イタリア
スイス	ギリシャ	ソ連	オーストリア	ポーランド	イスラエル
トルコ	エジプト	オーストラリア	中国	韓国(かんこく)	タイ
インド	インドネシア	シンガポール	台湾		
スエーデン	ブラジル	オランダ	スペイン	ニュージーランド	ペルー
フィンランド					

> 5段落　　　　　　　　　　　　　　　　　　　　　　　　　　　論理展開を予測・把握する

3. 下線部⑦の理屈(りくつ)とはどういう理屈ですか。適当な言葉を書きなさい。

行ってみたい国がX国だとする。

調査票の選択肢にX国があれば、X国を選ぶ。

選択肢にX国がなくても、＿＿＿＿＿＿＿＿＿＿＿＿＿＿＿＿＿＿＿＿＿＿＿。

だから ＿＿＿＿＿＿＿＿＿＿＿＿＿＿＿＿＿＿＿＿＿＿＿＿＿＿＿＿＿。

> 6段落　　　　　　　　　　　　　　　　　　　　　　明示的な主張・意図を把握する

4. 筆者は調査票をどのようにしたらいいと言っていますか。適当なものを選びなさい。

　a. 選択肢にするのではなく、全て自由回答にしたほうがいい。

　b. 選択肢は網羅的ではなく、7つぐらいに絞る必要がある。

　c. 選択肢を網羅的にして、「その他」は入れないほうがいい。

　d. 選択肢を網羅的にして、「その他」も入れたほうがいい。

> 全体　　　　　　　　　　　　　　　　　　　　　　　　　　比較・対照する

5. 資料 2-1 と 2-2 の調査スタイルで、選択肢の数以外で異なる点は何ですか。

_____

> 全体　　　　　　　　　　　　　　　　　　　　　　　　　　論点を把握する

6. この文章の論点は何ですか。適当なものを選びなさい。

　a. 社会調査といっても、調査方法によって得られる結果とその結果が与える印象は変わるため、調査について正しい理解を持つことが必要である。

　b. 社会調査というものは方法次第でどのようにでも結果を操作できるから、その結果は信用できず、情報として価値が低い。

　c. 社会調査は調査方法によって得られる結果は異なるが、きちんと調査票を使って調査したものについては、結果の数字を信用してよい。

　d. 社会調査を行う場合、調査票に「その他」を入れなければ正しい結果は得られないため、「その他」のない調査結果は、その調査結果を疑う必要がある。

▶▶▶ クリティカル・リーディング

1. この文章の筆者は、どのような人(仕事、立場)ですか。

2. この文章はどのような読者層に向けて書かれたものですか。

(関連➡認知1)

3. 下線部①のように言う筆者の問題意識とその理由がわかる部分をテキストから探し、パラフレーズしなさい。(p.5 参照)

4. ① 筆者は2段落でA, B, C調査について「対象者は別だが、条件は同じ学生たちである」と言っていますが、どのような条件が整えば「条件が同じ」だと言えますか。

② 整えるべき条件がわからない場合、何を調べればいいですか。

5. 筆者がこの文章を書いた狙い(ねら)は、成功(せいこう)していると思いますか。

6. この文章に書かれたことは、あなたにとってどのように役立つと思いますか。

第12課 化粧する脳

読む前に

1. あなたは家族、友人、知人と接するとき、相手によって態度を変えていますか。
2. あなたは相手によって態度を変える人をどう思いますか。
3. あなたの言語には、「八方美人」という言葉がありますか。その言葉には、どのような意味やイメージがありますか。

学習目標

できること 1: 抽象的な内容の教養書や専門分野の入門書を読み、比較、対照、構造、アナロジーを押さえながら、問題提起、論点、筆者の主張、意図、分野の概要が把握できる

できること 2: 教養書の一節を読み、取上げられた事象の現状、展望、原因、問題点などが把握できる

この課で身につけるスキル

評価してみよう！

	タスク番号	自分でわかった	授業でわかった
メタ・コンテンツを把握する	【全体1】		
明示的な主張・意図を把握する			
・「確固とした自己」とは何を意味するかを把握する	【認知2】		
・脳の化粧と現実の化粧との類似性を把握する	【認知4】		
・「複数の人格メモリーを持っている」とは何を意味するかを把握する	【認知6】		
・人間のコミュニケーションがどのように不確実かを把握する	【認知7】		
結論を把握する			
・〈ふり〉を脳の化粧と考えると、どのような結論が導かれるかを把握する	【認知5】		
比較・対照する			
・通常の人格の多面性と解離性同一性障害の場合を対照する	【認知8】		
複数の情報を関連付ける			
・人格の〈ふり〉とそれを表す数式を関連付ける	【認知1】		
アナロジー・比喩がわかる			
・「脳の化粧」という比喩が何を指すかがわかる	【認知3】		

化粧する脳

茂木健一郎(著)　(『化粧する脳』茂木健一郎・恩蔵絢子(著) 集英社新書 2009)

考えてみれば、①人間はみな、〈ふり〉をして生活している。

子どもは、その発達にともなって、〈ふり〉ができるようになる。子どもは母親と接するとき、父親に接するとき、もしくは近所のおばさんや先生、きょうだい、お友達……と接する相手によって態度を無意識に変えている。これは〈ふり〉をしている②証左である。

たとえばAさんがBさんに接するとき、AさんはBさんに感化されてA_1という人格の〈ふり〉をする【(A)A_1→B】。

わたしたちが日々接している他者は複数存在するわけだから、したがって、Cさん、Dさん、Eさんといった他者との関係性の中で次々に新たな人格が現れることになる【　　ア　　】。Aさんは接する対象に合わせて〈ふり〉をして、A_1さんにも、A_2さんにも、A_3さんにも、A_4さんにもなり得るわけだ。

わたしたちは自分には「③確固とした自己」があると思いがちである。

しかし、実際には他者との関係性において自己のあり様は大きく左右されている。他者との関係性が変わるたびに、ある〈ふり〉からもう一つの〈ふり〉へと切り替わり、そこに新しい自分も生まれている。

こうした〈ふり〉は「④脳の化粧」と考えることもできる。

他者との関係性を前提に自己に変化がもたらされるのであれば、他者の視線を意識して顔にほどこす化粧と現象はきわめて⑤近い。人間のパーソナリティーはかくも多面的で柔軟性があるものなのだ。つまり、　　イ　　。

それは一人の人物を例にとって考えてみてもわかるだろう。たとえば、現在の僕の人格は幼少期のそれとは⑥くらべものにならないほど異なっている。幼い頃の僕は、かなり神経質で青白い顔をしており、自家中毒に陥ることもしばしばあった。いまか

ら考えると同一人物の性格とは思えないほど違う。それでもどこかに僕の「神経質」な人格記憶は残されてはいるが、脳の前頭葉あたりにある回路からは、いま現在の僕の人格を支えている記憶だけを引き出してきているに過ぎないのだろう。

10　かつて多重人格症とも呼ばれていた解離性同一性障害では、記憶の回路から人格メモリーを引き出すときになんらかの大きな混乱やねじれが生じていると考えられている。しかし、それほど過度な人格の異変はなくとも、わたしたちはみな、⑦複数の人格メモリーを持っている。

11　だから、自己の人格は他者の数だけ多面的であり、可塑性が高いものなのだ。

12　しかも、他者との関係性によってAさんはA_1さんにも、A_2さんにも、A_3さんにも、A_4さんにもなり得るわけだが、相手方のBさんだって、Aさんが$A_1 \rightarrow A_2 \rightarrow A_3$……と変わっていくのにともない、$B_1 \rightarrow B_2 \rightarrow B_3$……と変わっていくはずである。

13　これでは、いかにコンピューターが高度なアルゴリズム計算を可能としていても、⑧これほどまでに不確実性が高いコミュニケーションを⑨プログラミングすることは不可能だ。いまだ人工知能が人間と同等レベルの会話をする能力に達しないのも無理はない。

14　畢竟、社会的コミュニケーションにはもっとも高度な知能が必要とされるわけで、このことが⑩人間の知性の本質とされる所以である。

■全体把握■

📷 メタ・コンテンツを把握する

1. この文章のメタ・コンテンツは何ですか。{　}の中の適当なものを選びなさい。

{a. 他者　b. 自己　c. 集団}との関係性でつくられる自己の人格の{a. 一面性　b. 同一性　c. 多面性}を論じた文章

2. 文章の種類は何ですか。適当なものを選びなさい。

a. 小説　b. 学術論文　c. 新聞の社説　d. 教養書

3. この文章に副題をつけるとすれば、何ですか。適当なものを選びなさい。

a. 一貫性ある態度こそ善
b. 八方美人は知性の証
c. 外に示す偽りの自己
d. 多重人格症の病理

■言語タスク■

> 1段落

1. 下線部①は、どのような意味ですか。適当なものを選びなさい。

a. 人間は常に演技をしているうちに本当の自分を失ってしまった
b. 人間は生きるために仕方なく、他人と同じように行動している
c. 人間は相手によって自分でも知らないうちに態度を変えている
d. 人間は生活が苦しくても立派に生きているという顔をしている

> 2段落

2. 下線部②は、何が何の「証左」だと言っていますか。適当なものを選びなさい。

a. 人間はみな、〈ふり〉をしていること
b. 発達とともに〈ふり〉ができるようになっていくこと
c. 子どもがさまざまな関係の人と接していること
d. 子どもが相手によって態度を無意識に変えること

} が

e. 子どもが意識的に態度を変えていること
f. 子どもが〈ふり〉をしていること
g. 子どもが家族とそれ以外の人を区別していること
h. 子どもが良い子の〈ふり〉をしていること

} の証左だ。

> 9段落   (関連➡ CR6)

3. 下線部⑥は、何と何を比較して異なっていると言っていますか。

_____

> 13段落

4. 下線部⑨の「プログラミング」が可能になったとしたら、何が実現しますか。

_____

> 14段落

5. 下線部⑩の「人間の知性の本質とされる」ものとは何ですか。テキストから抜き出しなさい。

_____

■ 認 知 タ ス ク ■

> 3〜4段落　　　　　　　　　　　　　　　　　　　　　　　複数の情報を関連付ける

1. 　ア　　に入るものとして、適当なものを選びなさい。

　a.　(C) $A_2 \to C$　(D) $A_3 \to D$　(E) $A_4 \to E$

　b.　(C) $A_2 \to C_2$　(D) $A_3 \to D_3$　(E) $A_4 \to E_4$

　c.　(A) $A_2 \to C$　(A) $A_3 \to D$　(A) $A_4 \to E$

　d.　(A) $C \to AC$　(A) $D \to AD$　(A) $E \to AE$

> 5〜6段落　　　　　　　　　　　　　　　　　　　　　　　明示的な主張・意図を把握する

2. 下線部③は、どのような意味ですか。適当なものを選びなさい。

　a.　状況や接する相手によって自在に変化する柔軟な自己
　b.　相手や状況によって変化したりしない、一貫した自己
　c.　〈ふり〉や「化粧」による変化が及ばない深層の自己
　d.　環境によって変化しても、一定の範囲内に留まる自己

> 7〜8段落　　　　　　　　　　　　　　　　　　　　　　　アナロジー・比喩がわかる

3. 下線部④は、どのような意味ですか。適当なものを選びなさい。

　a.　自分をより大きく見せようと意識すること
　b.　他者の視線を意識して外見を整えること
　c.　自分でない他の誰かになったふりをすること
　d.　他者との関係性によって自分を変えること

> 7〜8段落　　　　　　　　　　　　　　　　　　　　　　　📖 明示的な主張・意図を把握する

4. 下線部⑤は、何と何がどのような意味で近いということですか。適当なものを選びなさい。

a. 他者の視線を意識する自己とその視線の主である他者は、どちらも互いの視線を意識しているという意味で近い。

b. 脳の化粧である〈ふり〉と現実の化粧は、どちらも他者との関係性によって新しい自己が生まれるという意味で近い。

c. 〈ふり〉と「化粧」は、どちらも美しい仮面で真実の姿を覆い隠し、自分にも他人にも嘘をついているという意味で近い。

d. 化粧をした自己と化粧をしない自己は、どちらも他者との関係性によって人格が変わっていくという意味で近い。

> 7〜8段落　　　　　　　　　　　　　　　　　　　　　　　📖 結論を把握する

5. 　イ　 に入るものとして、適当なものを選びなさい。

a. 脳は絶えず「化粧」をし続けている

b. 脳に「化粧」を施すことはできない

c. 〈ふり〉と「化粧」は別の現象である

d. 「化粧」によって自己は何ら変わらない

> 9〜10段落　　　　　　　　　　　　　　　　　　　　　　📖 明示的な主張・意図を把握する

6. 下線部⑦は、どのような意味ですか。適当なものを選びなさい。

a. 多重人格症という病気を抱えている

b. 一人の人間の中に複数の人格がある

c. 様々な人格を持つ人々を記憶している

d. 成長につれて人格を書き換えている

> 11〜13段落　　　　　　　　　　　　　　　　　　　　　　　明示的な主張・意図を把握する

7. 下線部⑧は、なぜ不確実なのですか。

_____

> 全体　　　　　　　　　　　　　　　　　　　　　　　　　　比較・対照する

8. 次の a.〜f. のほとんどは、ほぼ同じことを言っていますが、ひとつだけ違うのはどれですか。適当なものを選びなさい。

a. 他者との関係性の中で次々に新たな人格が現れる

b. 他者との関係性において自己のあり様は大きく左右されている

c. 他者との関係性が変わるたびに、ある〈ふり〉からもう一つの〈ふり〉へと切り替わり、そこに新しい自分も生まれている

d. 他者との関係性を前提に自己に変化がもたらされる

e. 自己の人格は他者の数だけ多面的であり、可塑性が高い

f. 記憶の回路から人格メモリーを引き出すときになんらかの大きな混乱やねじれが生じている

▶▶▶ クリティカル・リーディング

1. この文章の中で〈ふり〉と「脳の化粧」は、定義されていますか。二つの言葉はそれぞれ、同じ意味で一貫して使われていますか。

2. 文中の「しかし」「だから」「しかも」「つまり」「たとえば」のような論理関係を示す言葉に注目して、文章の組み立てを検討してみましょう。

3. この文章の「主張」と「根拠」と「前提」は何ですか。主張は明確ですか。根拠は十分ですか。前提は明らかにされていますか。

   主張：＿＿

   根拠：＿＿

   前提：＿＿

4. 1〜7段落をパラフレーズしなさい。(p.5参照)

5. 筆者は、自己の人格は他者との関係性によって変わると言っていますが、人は他者との関係性に影響されない、固有の人格を持っていると考える人もいます。あなたはどちらの見方に賛成ですか。

(関連➡言語 3)

6. ① 9 段落で筆者は、人格の多面性を示す例として、幼少時の自分の人格について書いていますが、この例は効果的だと思いますか。もしそうでないとすれば、あなたならどのような例を出しますか。

② このタスクに対して、フンさんとパクさんが次のような意見を述べました。それぞれの意見はこの文章に対するクリティカル・リーディングとして妥当だと思いますか。

フンさんの意見：
「効果的だと思うがまだ足りない。人間は成長すれば性格や考え方など変わるものだから比べることは難しいと思う。私なら、現在の自分の性格が他者によって変わるという例を出す。」

パクさんの意見：
「もう少し説明したほうがもっと効果的ではないかと思う。幼い頃の人格がどうだったかは少し説明してあるが、今の筆者の人格が具体的にどう変わったかは書いていないので、筆者を知らない人にとってはわかりにくいと思う。」

チャレンジ
クリティカル・リーディングを磨こう！

　この本を一冊終えた皆さんは、CRとはどんなものか、感覚的につかめたのではないでしょうか。CRにより磨きをかけるために、自分なりの問題意識を持ってテキストにアクセスしてみましょう。これには、タスクはありません。自分でクリティカルな問いを立てながら、読んでみましょう。

　次のテキストは外来のアリが見つかったことを報じる新聞記事です。

アルゼンチンアリ上陸、毒はないけど不快感

　岐阜県は、坂祝町で特定外来生物のアルゼンチンアリが見つかったと発表した。

　毒はないが繁殖力が高く、農作物に被害を及ぼすことがあるという。県内では2007年3月に各務原市で確認されて以来2例目。

　南米原産で、体長約2.5ミリ。在来のアリより細長く、長い触覚がある。今月11日、坂祝町酒倉でアルゼンチンアリらしき個体を見つけたとの通報があり、調べたところ、同地区や同町取組周辺で生息が確認された。

　動きが素早く、大量にまとまって行列をつくるため、家屋などに侵入し、人に不快感を与えるという。

　県は専門家と協力して、巣の位置が判明している箇所に薬剤を散布するなどし、防除を進める。

（読売新聞　2012年10月25日朝刊）

皆さんは前ページのテキストについて、どのような問いを立てましたか。たとえば、次のような問題意識を持って読むことも考えられます。

問題意識のヒント

1. 読者はこの記事をどう受け取るだろうか。

   「気持ち悪い！」「重大な問題だ」、あるいは他にどう受け取るでしょうか。このように読者の反応を推測するのは、少し距離を置いてテキストを読むことにつながります。

2. この記事はどのような前提に立っているだろうか。他にどのような前提が考えられるだろうか。

   たとえば「虫が大量に集まると不快だ」「不快な虫は防除すべきだ」などの前提が考えられます。このように隠れた前提を明らかにする、あるいは他の前提を考えてみるのも複眼的な読み方です。

3. この記事では、農作物への被害と、人間にとっての不快さが問題になっているが、他の問題点は考えられるだろうか。

   問題の核心は不快かどうかよりも、生態系への影響ではないか、というように、論点そのものの妥当性を問います。

4. 見つかったのが不快ではない外来生物なら、どのような論調で報道されると推測されるだろうか。

   たとえば、外来の動物ならアライグマ、植物ならセイヨウタンポポのように人々に愛される動植物のケースです。論調はこの記事と同じでしょうか、違うでしょうか。

アライグマ　　　　セイヨウタンポポ

もう一つ、挑戦してみましょう。次のテキストは、文化人類学者が文化の持つ否定的な側面について書いた論考です。

筆者の主張が何かを読み取ったうえで、このテキストをクリティカルに検討し、気づいたこと、考えたことを出してみましょう。（まずは、問題意識の例を見ないで考えてみましょう。）

文化の否定性

　文化が人類を苦しめるとは、いかにも唐突な感じをあたえるかもしれないが、この十年ほど世界各地で生活し、さまざまな文化現象と出会い、文化が生み出す困難な状況を経験したところから見て、また現実にいま世界の動きを見ても、おそらく人類史上初めて、文化が否定的な作用をするようになってきた、少なくとも文化をそう受けとる時期が訪れてきた、という気がしてならないのだ。

　人類が「森からサバンナ」へ出てきて、厳しい自然の環境の中で、本能が身を守ってくれることのもっとも少ない動物であるがゆえに、文化を第二の本能として発達させたことは明らかである。世界各地で独自に生成されるようになった文化は、それこそ必死に生存をはかるためにも人間にとって実に大きな恩恵をもたらしてくれた。それなのに、文化の否定性云々を口にするなどもってのほかで、天にツバするような忘恩の所業にちがいない。安易に文化の否定性などいえたものでないことは当然である。ことばから食べものから技術まで文化なくして人間はいまだ一日たりとも生きられない。文化は人間のアイデンティティの核心である。

　と同時に、現代の世界の難問が多く文化そのものの性質に発することも明らかな事実である。情報化の地球時代、あるいは国際化時代において、人間と人間、人類の間に大きなコミュニケーションの障害をつくり出すのも文化である。現代の戦争・紛争・摩擦は、そのほとんどの原因を「文化」にもつといってよいのではないか。政治・経済などの要因は、交渉や説得や妥協そして計算によってある程度解決することができる。本質的に、利益合理性が解決する問題である。

（中略）

　かつてフランスのナショナリストの思想家でもあったエルネスト・ルナンは、近代の国民国家の成立に際してもっとも重要なことは、それぞれの民族・文化集団が「国家」に統合されるに際し、各々の過去と伝統を「忘却すること」であると説いた。「国

家」に統合される地域や文化集団が各々の文化や民族の伝統に根ざした「ちがい」の主張をしていては、「国家」は成立しない。より高次の理念による統合のために「個」を忘れることが必要である、と。
　　この議論は矛盾も含んではいる。というのは、国民国家の「文化」はやはりある種の高文化（ことばや教育など）が支配的とならざるをえないから。だが、「アムネジア」（記憶喪失）の必要性を説くことには、説得力がある。さまざまな問題があることは承知の上で、いまルナンにならって、地球時代の人類文化の統合体（システム）を築くために、一時的にせよ、世界の各文化は「自文化」についてアムネジアを心がける必要がある。「文化の否定性」をよく認識して、より普遍的な世界文化構築のための歩みを進める必要がある。

青木保（著）『文化の否定性』（中央公論社）1988

　皆さんは、どんな問題意識を持って読みましたか。心に残った一行、疑問を持った一行もCRの対象になります。たとえば、こんな問題意識を持って読むのもCRです。

問題意識の例

1. 著者は「アイデンティティ」をどのように捉えているのだろうか。
2. 著者は「人類史上初めて、文化が否定的な作用をするようになった」と言うが、以前はどうだったのか。
3. 「現代の世界の難問が多く文化そのものの性質に発することも明らかな事実である」という断定は妥当か。他の原因は考えられないか。
4. 「現代の戦争・紛争・摩擦は、そのほとんどの原因を「文化」にもつといってよいのではないか」とあるが、本当にそう言えるか。
5. 文化が第二の本能で、アイデンティティの核心なら、一時的にでも、それを忘れることは可能か。
6. 摩擦を避けるには、文化の違いを認め、尊重すればよいのではないか。忘却を説くのはなぜか。
7. 「地球時代の人類文化の統合体」「より普遍的な世界文化」の強調は、ある意味で文化の多様性の否定につながらないか。それは人類の持続可能な未来につながるのだろうか。
8. この文章をもっと読みやすくするには、どこにどんな具体例を入れればよいか。

　CRはテキストとの対話です。皆さんがこれから出会うさまざまなテキストとの豊かな対話を楽しめることを祈ります。

■ 出　典 ■

斎藤孝（著）2001『「できる人」はどこがちがうのか（ちくま新書）』筑摩書房

池上彰（著）2006「私のニュースの読み方」『ニュースの読み方使い方』新潮文庫

河合隼雄（著）1992「価値の一様性」『子どもと学校』岩波新書

岡ノ谷一夫（著）2011「言葉の起源をもとめて」岡ノ谷一夫・小川洋子（著）『言葉の誕生を科学する』河出ブックス

辻正次・八田英二（著）2003「経済学とは何か」『What's 経済学 ―わかる楽しさ使うよろこび―』有斐閣アルマ

清ルミ（著）2007「思いやり」『優しい日本語 ―英語にできない「おかげさま」のこころ』太陽出版

渡辺武信（著）1983「住まい方の思想」『住まい方の思想』中公新書

NHK「プロフェッショナル」制作班（著）2011「決まった道はない。ただ行き先があるのみだ ―獣医師・齊藤慶輔」『「プロフェッショナル仕事の流儀」決定版　人生と仕事を変えた57の言葉』NHK出版新書

石川幹人（著）2000「メディアがもたらす環境変容に関する意識調査 ― 電車内の携帯電話使用を例にして ―」『情報文化学会論文誌』Vol.7 No.1 pp.11-20

小池妙子（編著）丸山美知子 他（共著）2006『社会福祉選書12　改訂 介護概論』建帛社

鈴木孝夫（著）1973「ことばの構造、文化の構造 ―共時的展開と通時的展開―」『ことばと文化』岩波新書

平松貞実（著）1998「観光で行きたい国はどこ」『世論調査で社会が読めるか ―事例による社会調査入門』新曜社

茂木健一郎（著）2009「化粧する脳」茂木健一郎・恩蔵絢子（著）『化粧する脳』集英社新書

読売新聞　2012年10月25日朝刊「アルゼンチンアリ上陸、毒はないけど不快感」

青木保（著）1988『文化の否定性』中央公論社

■ 監修者・編著者紹介 ■

監修者：コミュニカ学院学院長
　　　　奥田純子（おくだ　じゅんこ）

編著者：コミュニカ学院　学習リソース開発チーム
　　　　竹田悦子（たけだ　えつこ）
　　　　久次優子（ひさつぎ　ゆうこ）
　　　　丸山友子（まるやま　ともこ）
　　　　八塚祥江（やつづか　さちえ）
　　　　尾上正紀（おのえ　まさのり）
　　　　矢田まり子（やだ　まりこ）
　　　　（コミュニカ学院ウェブサイト　URL: http://www.communica-institute.org）

■ 語彙翻訳
中国語（簡体字）：于維強
中国語（繁体字）：羅慧茵、蔡宗榮
韓国語：林慧暻
英　語：David Polen

■ 装丁
折原カズヒロ

■ レイアウト
市川麻里子

読む力WEBサイト
yomuchikara.jimdo.com
→活動例の紹介
→語彙リスト、スキル表のベトナム語翻訳

読む力　中上級
（よむちから　ちゅうじょうきゅう）

2013年3月21日　　第1刷　発行
2024年7月17日　　第7刷　発行

[監修]　奥田純子（おくだじゅんこ）

[編著]　竹田悦子・久次優子・丸山友子
　　　　（たけだえつこ　ひさつぎゆうこ　まるやまともこ）
　　　　八塚祥江・尾上正紀・矢田まり子
　　　　（やつづかさちえ　おのえまさのり　やだまりこ）

[発人]　岡野秀夫

[発行]　くろしお出版
　　　　〒113-0033　東京都千代田区二番町4-3
　　　　Tel：03・6261・2867　　Fax：03・6261・2879
　　　　URL：http://www.9640.jp　Mail：kurosio@9640.jp

[印刷]　シナノ書籍印刷

© 2013　Junko Okuda, Etsuko Takeda, Yuko Hisatsugi, Tomoko Maruyama, Sachie Yatsuzuka, Masanori Onoe, Mariko Yada
Printed in Japan
ISBN 978-4-87424-584-2　C0081

乱丁・落丁はお取り替えいたします。本書の無断転載・複製を禁じます。

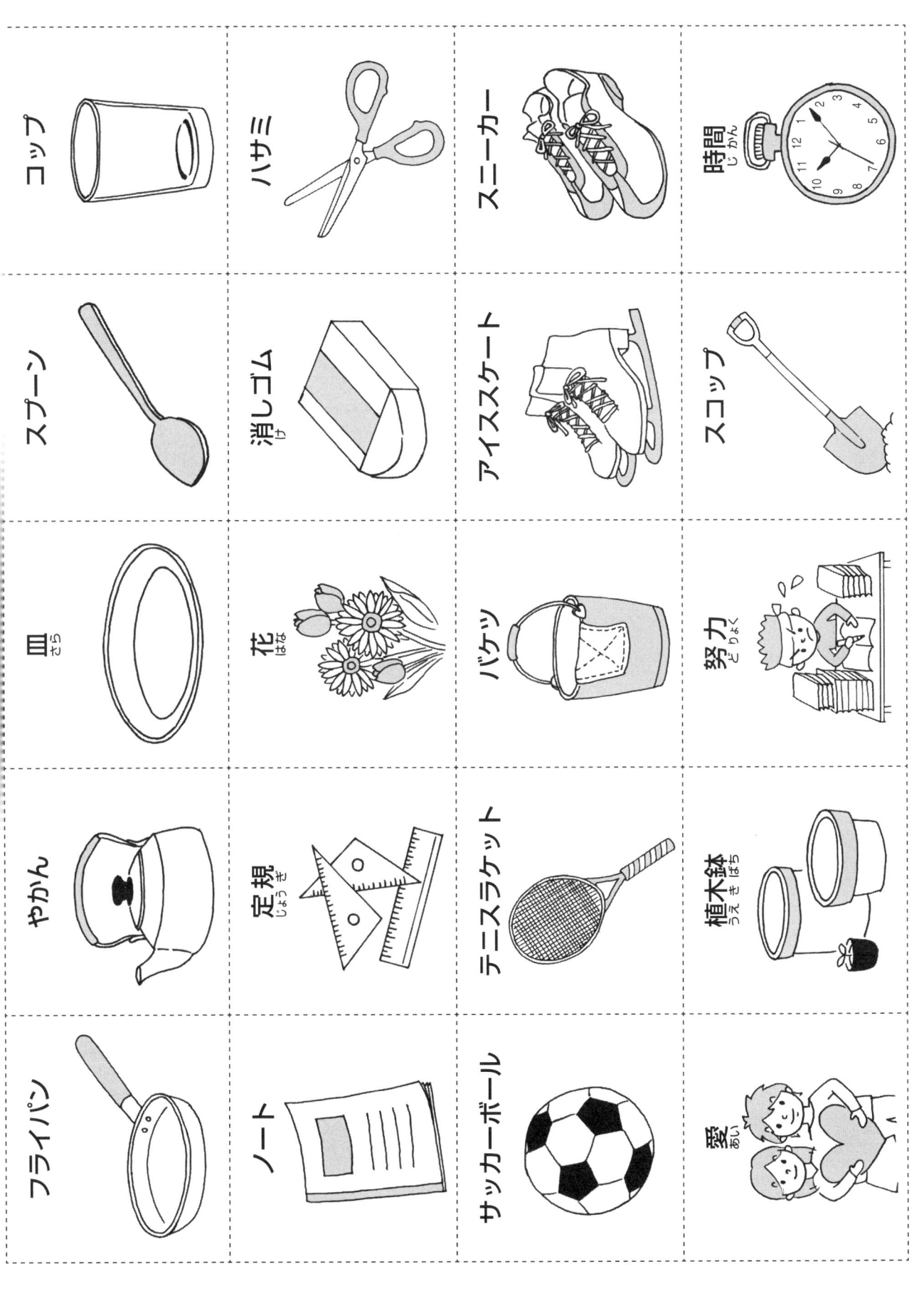

■ 頭を柔らかくする複眼思考レッスン「仲間同士！？」項目カード

コップ	ハサミ	スニーカー	時間
スプーン	消しゴム	アイススケート	スコップ
皿	花	バケツ	努力
やかん	定規	テニスラケット	植木鉢
フライパン	ノート	サッカーボール	愛

くろしお出版 http://www.9640.jp **日本語教育教材**のご案内

読む力　中級
奥田純子【監修】／竹田悦子・久次優子・丸山友子・八家祥江・尾上正紀・矢田まり子【編著】

新聞・雑誌・エッセイ・伝記などの身近な日本語を素材に、一歩上の読解力を身につけることをめざした日本語学習書。課ごとに身につけるべきスキルを「スキル表」で示し、タスクと連動させているので、学習目標が明確にわかる。乙武洋匡『五体不満足』や日野原重明医師のインタビューなど、世間で話題になったものを問題文に取り入れているので、内容に興味を持ちながら学習できる。日本語試験（N1、N2）、日本留学試験に向けて、読解の勉強をしたい人に最適。

- 定価＝1,760円（税込）
- B5判／116頁＋24頁
- ISBN 978-4-87424-518-7 C0081

読む力　初中級
奥田純子【監修】／竹田悦子・久次優子・丸山友子・矢田まり子・内田さつき【編著】

読み物は、書き下ろしのエッセイから生の文章（リライトもあり）まで収録、バラエティー豊かな読み物を段階的に読み進め、タスクに取り組むことでアカデミックな読みの基礎を作っていく。タスクと連動した「スキル表」で得意なところ・伸ばしたい力を自己評価すれば、より効果的な学習に。日本語能力試験N3、CEFR B1前半レベルの読解を勉強したい学習者におすすめの一冊。

- 定価＝1,980円（税込）
- B5判／128頁＋28頁
- ISBN 978-4-87424-827-0 C0081

コンテンツとマルチメディアで学ぶ日本語　上級へのとびら
岡まゆみ・筒井通雄・近藤純子・江森祥子・花井善郎・石川智【共著】

日本の地理・歴史からポップカルチャーまで、様々なトピックを通して四技能を伸ばす画期的中級日本語教科書。マルチメディアを使用した言語習得を促し、海外在住の学習者でも日本語環境に触れられるサポートを確立。『なかま』『げんき』『みんなの日本語』のあとに最適。全課終了時には無理なく上級レベルへ突入！

- 定価＝3,630円（税込）
- B5判 420頁
- ISBN 978-4-87424-447-0 C0081

充実のとびらサイト http://tobira.9640.jp
音声・ビデオ（動画）の配信／対話型会話練習ソフト／発展練習ワークシート／最新情報を随時アップロード

上級へのとびら　これで身につく文法力
筒井通雄[監修]／江森祥子・花井善朗・石川智[主筆]　近藤純子・岡まゆみ[副筆]

- B5判／224頁＋別冊32頁／定価＝2,420円（税込）
- 978-4-87424-487-6 C0081

上級へのとびら　きたえよう漢字力　―上級へつなげる基礎漢字800―
岡まゆみ[監修]／石川智・近藤純子[主筆]　筒井通雄・江森祥子・花井善朗[副筆]

- B5判／316頁＋20頁／定価＝2,420円（税込）
- 978-4-87424-487-6 C0081

新・シャドーイング　日本語を話そう　初～中級編
斎藤仁志・深澤道子・掃部知子・酒井理恵子・中村雅子・吉本惠子【共著】

英語・中国語・韓国語訳版
インドネシア語・タイ語・ベトナム語訳版

大人気シリーズの改定版。自然な会話を聞きながら声に出して練習する「シャドーイング」の日本語学習本。リアルな日常会話を聞きながら、繰り返しつぶやくことで、日本語が自然に身につく。話してみたいフレーズが満載で初級から楽しんで使える。教室でのウォーミングアップに。自習にも最適。

- 定価＝1,540円（税込）
- A5判 137頁
- 音声 MP3 ウェブ配信
- ISBN 978-4-87424-850-8 C2081
- ISBN 978-4-87424-858-4 C2081

シャドーイング　日本語を話そう　中～上級編
斎藤仁志・深澤道子・酒井理恵子・中村雅子・吉本惠子【共著】

英語・中国語・韓国語訳版
インドネシア語・タイ語・ベトナム語訳版

対人関係によって分類され、かつ自然で生き生きとした会話で、日常生活の必要な場面においてすぐに使える表現を身につけられます。友人関係、近所付き合い、ビジネスシーン、冠婚葬祭、プレゼンテーションのリアルな会話を聞いて話すことで、場面に合わせた表現力を豊かにします。英・中・韓の翻訳付きで自習にも最適。

- 定価＝1,980円（税込）
- A5判 168頁
- CD2枚付き
- ISBN 978-4-87424-495-1 C2081

The Great Japanese 30の物語　初中級 —人物で学ぶ日本語—
石川智・米本和弘【共著】

The Great Japanese 30の物語　中上級 —人物で学ぶ日本語—
石川智【著】

著名な日本人30人のストーリーを通して、日本文化や社会問題、考え方や価値観を学び、知的好奇心を刺激しながら読解力を高める日本語読解教材。歴史、経営、芸術、文学、漫画／アニメ、スポーツ、政治、学者のジャンルから人選。様々な時代で偉業を成し遂げた日本人達の、読み応えのあるストーリーで異文化理解を深めるだけでなく、学習者が自身について振り返り、考える機会をもつ。単語リスト、文法・表現リスト付きで学生の自習用にも。音声WEBダウンロードで、聴解教材としての使用も提案。

【初中級】広岡浅子／松下幸之助／伊藤若冲／藤田嗣治／武満徹／安藤忠雄／与謝野晶子／宮沢賢治／又吉直樹／円谷英二／黒柳徹子／三宅一生／坂東玉三郎／村田吉弘／羽生善治／くまモン／井村雅代／小出義雄／野村忠宏／国枝慎吾／福原愛／吉田茂／小泉純一郎／楠本イネ／野口英世／ドナルド・キーン／田中耕一／空海／源義経／徳川家康／坂本龍馬

【中上級】卑弥呼・宮崎康平／聖徳太子／紫式部・清少納言／織田信長／本田宗一郎／和田かつ／白石義明／孫正義／秋元康／三遊亭圓朝／千利休／黒澤明／草間彌生／五嶋みどり／夏目漱石／村上春樹／俵万智／長谷川町子／宮崎駿／石ノ森章太郎／高橋尚子／イチロー／野口健／杉原千畝／佐藤栄作／萱野茂／新渡戸稲造／藤田哲也／山中伸弥／石黒浩

- 定価=2,200円（税込）
- B5判176頁+別冊40頁
- 音声MP3ウェブ配信
- ISBN 978-4-87424-798-3 C0081

- 定価=2,200円（税込）
- B5判160頁+別冊48頁
- 音声MP3ウェブ配信
- ISBN 978-4-87424-702-0 C0081

Reading Road —多様な日本を読む—
公益社団法人国際日本語普及協会（AJALT）【著】

日本語初中級レベル（N4, N3）から始められ、中級へつなげる多読・読解教材。人間の普遍性を表す「和」「心」「美」「遊」「生」の5つをChapterのテーマとし、日本の食、芸術、文学に加え、環境問題、先端科学技術などの最新のトピックス、また、平和と戦争、命など、グローバルな視点も取り入れた読み物35編を厳選。読む力がつくのはもちろんのこと、読めば読むほど日本への知的探究心を満たす、読み応えのある読み物で、学習者の視野を広げ、興味・関心をより豊かなものへ。

- 定価=2,420円+税
- A5判160頁
- ISBN 978-4-87424-792-1 C0081

聞いて覚える話し方 日本語生中継 中〜上級編
椙本総子・宮谷敦美【共著】

中級以上の学習者を対象として、日常よく接する場面における会話の聞き取り能力を高め、場面に応じて適切に話をする能力をつけることを目的としたリスニング教材。話し手の意図や感情も正しく理解できるような練習も盛り込んだ活気的な教材。リアルで生き生きとした会話を再現収録したCDを素材に「聞く」と「話す」を高める。単語表に英・中・韓・ポ訳付き。

- 定価=2,420円+税
- B5判96頁+別冊52頁
- CD1枚付き
- ISBN 978-4-87424-330-8 C2081

聞いて覚える話し方 日本語生中継 初中級編①／初中級編②
ボイクマン総子・宮谷敦美・小室リー郁子【共著】

初級の文法項目を一通りすませた学習者を対象として、日常よく接する場面における会話の聞き取り能力を高め、同時にそういった場面で話をする能力をつけることを目的としたリスニング教材。リアルで生き生きとした会話を再現収録したCDを素材に「聞く」と「話す」を高める。問題文、単語表に英・中・韓・ポ訳付き。

- 定価=2,420円+税
- B5判96頁+別冊60頁
- CD2枚付き
- ISBN 978-4-87424-339-8 C2081
- ISBN 978-4-87424-370-1 C2081

①：貸してもらう／予定を変更する／レストランで／旅行の感想／買い物／アルバイトを探す／ほめられて／交通手段／ゆずります／マンション
②：出会い／ホテルで／うわさ／機会のトラブル／失敗／電話をかける／健康のために／駅で／趣味／抱負

■ スキル一覧表 ■

		第1課	第2課	第3課	第4課	第5課	第6課	第7課	第8課	第9課	第10課	第11課	第12課
	できること①	抽象的な内容の教養書や専門分野の入門書を読み、問題提起、論点、筆者の主張、意図、分野の概要が把握できる							論文の抄録、専門書の目次を目的に応じて読める		抽象的な内容の教養書や専門分野の入門書を読み、比較、対照、構造、アナロジーを押さえながら、問題提起、論点、筆者の主張、意図、分野の概要が把握できる		
	できること②	教養書の一節を読み、筆者の問題提起、論点、主張、意図などが把握できる	教養書の一節を読み、筆者の研究の動機と仮説の概要が把握できる	専門分野の入門書の一節を読み、その分野の概要が把握できる	エッセイやコラムを読み、比較、対照、構造化、アナロジーを押さえながら、筆者の主張、意図が把握できる				学術論文の抄録を読み、研究の概要（目的・方法・結果・考察・結論）が把握できる	専門書の目次を読み、目的に応じて目次からその本で読むべき箇所を見つける	専門分野の入門書の一節を読み、比較、対照、構造、アナロジーを理解し、筆者の主張、意図が把握できる		教養書の一節を読み、取上げられた事象の現状、展望、原因、問題点などが把握できる
各課詳細	タイトル	私のニュースの読み方	価値の一様性	言葉の起源をもとめて	経済学とは何か	思いやり	住まい方の思想	決まった道はない。ただ行き先があるのみだ	メディアがもたらす環境変容に関する意識調査	改訂 介護概論	ことばの構造、文化の構造	観光で行きたい国はどこ	化粧する脳
	テーマ	メディアリテラシー	教育をめぐる価値の一様性	言葉の誕生	経済学とは何か	日本語の文化的特質	暮らしの中の物の意味	獣医師の人生に影響を与えた言葉	メディアがもたらす環境変容に関する意識調査	介護	文化の構造	社会調査の方法	人格の多面性
	種類・ジャンル	社会科学分野の教養書	エッセイ（教養書の一節）	エッセイ（教養書のまえがき）	経済学の入門書	エッセイ	エッセイ	ドキュメンタリー	学術論文の抄録	専門の概論書の目次	言語社会学分野の新書の一節	社会科学分野の教養書	脳科学分野の教養書
	タスク	メディアリテラシーの力の重要性を理解する	教育に関する筆者の問題提起を把握する	言語の起源に関する筆者の仮説の概要を把握する	経済学とはどのような学問かを把握する	文脈に頼る言語の文化と文脈に頼らない言語の文化との違いを把握する	「絶対必要ではないが大切なもの」の意味を把握する	絶望的な状況を変えるきっかけとなった言葉と筆者の主張を把握する	研究の概要（目的・方法・結果・考察・結論）を把握する	目的に応じて、目次からその本で読むべき箇所を見つける	事物の価値と文化の構造の関係を把握する	社会調査の方法が結果に与える影響を把握する	他者との関係で作られる人格の多面性を把握する
身につけるスキル	メタ・コンテンツを把握する		☐	☐	☐	☐	☐	☐			☐		☐
	全体の流れを把握する	☐			☐						☐		
	論点を把握する	☐	☐					☐			☐		
	論理展開を予測・把握する			☐	☐			☐	☐				☐
	明示的な主張・意図を把握する		☐	☐				☐			☐		☐
	結論を把握する								☐				
	特定の情報のみを抽出する		☐					☐					
	比較・対照する	☐				☐	☐				☐	☐	☐
	原因と結果の関係を把握する		☐					☐			☐		
	構造・法則性を把握する					☐					☐	☐	
	何の例かを把握する	☐			☐	☐					☐		
	非明示的な背景・意図を推測する	☐	☐	☐		☐	☐	☐				☐	
	複数の情報を関連付ける				☐					☐			☐
	アナロジー・比喩がわかる						☐	☐					☐
	句・文単位での言い換えを把握する		☐		☐								
	スキミングする									☐			
	スキャニングする									☐			
	抽象的記述と具体的記述を関連付ける			☐					☐		☐		

『読む力』中上級

- ●語彙リスト ……2
- ●解答例 ……………22

語彙リスト

[凡　例]

1＝日本語能力試験（旧試験）の１級の語彙、**2**＝２級、**3**＝３級、**4**＝４級
（＊旧試験の１級はおよそ新試験のＮ１に、２級はＮ２に、３級はＮ４に、４級はＮ５に相当します。）

外＝日本語能力試験の級外で覚えたほうがよいもの

外◆＝級外の理解語彙でよいもの

○日本語能力試験３級、４級の語彙は漢字の読みが難しいものだけ載せています。
○２語以上のフレーズで載せているものは、級が書かれていません。
　例：耳を傾ける
○複合語の２つの語の級が違う場合は、上の級が書かれています。
　例：重なり合う⇒２級
　　　重なる⇒２級、合う⇒３級

級	ことば	読み方	英語	中国語[簡体字]	中国語[繁体字]	韓国語
■ プロローグ　クリティカル・リーディングへの扉							
外	プロローグ		prologue	序幕	序言	프롤로그
外	クリティカルな		critical	批判的	批判的	비판적인
外	複眼的な	ふくがん-てきな	multifaceted; multilateral	多角度	各方面	복안적인, 다각적인
1	視点	してん	point of view	视点	視點	시점, 관점
2	検討する	けんとう-する	to examine	检讨	檢討	검토하다
2	批判的な	ひはん-てきな	critical	批判的	批判的	비판적인
2	見方	みかた	way of seeing things	看法	看法	견해
外	囚われる	とらわれる	to be preoccupied	拘束	被拘束	얽매이다
1	柔軟な	じゅうなんな	flexible	柔软的	柔軟的	유연한
1	思考	しこう	thinking	思考	思考	사고
1	土台	どだい	base	基础	基礎	토대
	うのみにする	うのみに する	to swallow; to take ~ on trust	囫囵吞枣	囫圇吞棗	그대로 받아들이다
外	自律的な	じりつ-てきな	autonomous	自律的	自律的	자율적인
1	主体	しゅたい	the subject; independent being	主体	主體	주체
2	姿勢	しせい	attitude	态度	態度	자세
2	扱う	あつかう	to handle	处理	處理	다루다
外	アクセスする	アクセス-する	to access	接触	接近	접근하다
1	挑戦する	ちょうせん-する	to challenge	挑战	挑戰	도전하다
2	行列	ぎょうれつ	queue; line	队列	排隊	행렬
2	混む	こむ	to be crowded	拥挤	擁擠	붐비다
2	判断する	はんだん-する	to judge	判断	判斷	판단하다
外	自体	じたい	itself; the very act of ~	自身	本身	자체
2	評判	ひょうばん	reputation	评判	名聲、評價	평판
2	疑問	ぎもん	question	疑问	疑問	의문
2	湧く	わく	to spring; to be born	出现	出現	들다, 생기다
2	問題意識	もんだい-いしき	question; problem oriented thinking	问题意识	問題意識	문제의식
1	根拠	こんきょ	ground; reason	根据	根據	근거
2	断定する	だんてい-する	to assert; to predicate	断定	斷定	단정하다

■語彙リスト■

外	ディズニーランド		Disneyland	迪斯尼乐园	迪士尼樂園	디즈니랜드
外◆	アトラクション		attraction	景点	遊戲設施	어트랙션, 놀이기구
1	踏まえる	ふまえる	to be based on	依据	依據	입각하다, 근거로 삼다
2	述べる	のべる	to state; to express	讲述	發表	말하다, 진술하다
外	際	さい	when ~; in case of ~	时候	時候	~ 때
2	離れる	はなれる	to digress from	离开	脫離	떠나다, 벗어나다
2	優れる	すぐれる	to excel	出色	出色	뛰어나다
外	推論する	すいろん-する	to reason; to infer	推论	推論	추론(추리) 하다
3	比べる	くらべる	to compare	比较	比較	비교하다
1	対話	たいわ	dialogue	对话	對話	대화
3	約束事	やくそく-ごと	promise	规定	約定	약속, 규칙
2	話題	わだい	topic	话题	話題	화제, 토픽
2	テーマ		theme	主题	主題	테마
2	論じる	ろんじる	to discuss	讨论	討論	논하다
外	挙げる	あげる	to mention	列举	列舉	들다
1	鍛える	きたえる	to train; to build up	锻炼	鍛鍊	단련하다
2	認める	みとめる	to acknowledge	承认	承認	인정하다
2	発想	はっそう	way of thinking; conception	构想	想法	발상
	耳を傾ける	みみを かたむける	to listen to; to lend one's ear to	倾听	傾聽	귀를 기울이다
1	自己	じこ	oneself	自己	自己	자기
外	パラフレーズ		paraphrase	释义	解釋	패러프레이즈
外	キーワード		key word	关键字	關鍵字	키워드
外	フレーズ		phrase	词组, 短句	語句	프레이즈, 문구
3	言い換える [言う+換える]	いいかえる	to rephrase; to put another way	换句话说	換句話說	바꿔 말하다
外	段落	だんらく	paragraph	段落	段落	단락
外	主旨	しゅし	point; intent	主旨	主旨	취지
1	経緯	けいい	course; progress; story	经纬	原委	경위
1	観点	かんてん	standpoint; perspective	观点	觀點	관점
2	沿う	そう	to go along	沿着	沿著	따르다
2	再構成する	さい-こうせい-する	to reconstitute; to rearrange	再构成	再購成	재구성하다
2	要約する	ようやく-する	to summarize	要约	概要、歸納	요약하다
1	忠実な	ちゅうじつな	faithful	忠实	忠實的	충실한
2	圧縮する	あっしゅく-する	to compress	压缩	壓縮	압축하다
2	上達する	じょうたつ-する	to progress	进步	進步	향상되다
1	技	わざ	skill	技巧	技巧	재주, 능력
外	習得する	しゅうとく-する	to acquire; to master	学会	學會	습득하다
外	転化する	てんか-する	to turn to; to change to	转化	轉化	전화되다
2	瞬間	しゅんかん	moment	瞬间	瞬間	순간
2	逃す	のがす	to miss; to let loose	逃走	錯過	놓치다
外	漫然と	まんぜん-と	aimlessly; idly	漫不经心	漫不經心	막연히
外	反復する	はんぷく-する	to repeat	反复	反覆	반복하다
外	鮮明な	せんめいな	clear; vivid	鲜明	鮮明的	선명한
外	ある程度	ある ていど	to some extent	一定程度上	一定程度上	어느정도
外	見出す	みいだす	to find	找到	找到	찾아내다, 발견하다
1	コツ		knack; trick	窍门	訣竅	요령
外	秘訣	ひけつ	secret	秘诀	秘訣	비결

1	持続する	じぞく-する	to continue	持续	持續	지속하다
1	自覚的な	じかく-てきな	conscious	自觉的	自覺的	자각적인

■ 第1課　私のニュースの読み方

外	カリフォルニア		California	加利福尼亚	加利福尼亞, 加州	캘리포니아
2	州	しゅう	state	州	州	주
2	知事	ちじ	governor	市长（州长）	市長（州長）	지사
2	選挙	せんきょ	election	选举	選舉	선거
2	候補者	こうほ-しゃ	candidate	候选人	候選人	후보자
1	討論会	とうろん-かい	panel; debate	研讨会	研討會	토론회
外	最大	さいだい	maximum	最大	最大	최대
2	焦点	しょうてん	focus	焦点	焦點	초점
2	俳優	はいゆう	actor	演员	演員	배우
2	～氏	～し	Mr.~	～氏	～氏	～씨
2	さて		now; well	那么	那麼	자, 그런데, 한데
2	場	ば	occasion	场所	場所	곳, 장소
1	奮闘する	ふんとう-する	to make an effort	奋斗	奮鬥	분투하다
2	～ぶり		appearance (of doing~)	～作风	～作風, ～樣子	~(하는) 모양, 모습
2	各～	かく～	each~	各～	各～	각~
2	記事	きじ	article	报道	報導	기사
1	予想	よそう	expectation	预想	預想, 猜測	예상
2	合格	ごうかく	passing	合格	合格	합격
2	見出し	みだし	headline	标题	標題, 頭條	목차, 색인
1	政策	せいさく	policy	政策	政策	정책
2	ユーモア		humour	幽默	幽默	유머
1	交える	まじえる	to mix	夹杂	夾雜	섞다, 결들이다
2	スピーチ		speech	演讲	演講	스피치, 연설
1	従来	じゅうらい	conventional	以往	以往, 歷來	종래, 종전
外	アピール		appeal	呼吁	呼籲	어필
1	どうやら		it appears that	好像, 大概	好像, 大概	아무래도, 그럭저럭
外	逆襲	ぎゃくしゅう	counterattack	反击	反擊	역습
2	数字	すうじ	figure	数字	數字	숫자
外	歳出	さいしゅつ	annual expenditure	年度支出	年度支出	세출
1	削減	さくげん	reduction	消减	削減	삭감
1	改革	かいかく	reform	改革	改革	개혁
2	～性	～せい	nature (suffix to turn an adjective) to a noun	～性	～性	~성
外	熱っぽく [熱っぽい]	ねつっぽく [ねつっぽい]	enthusiastically	踌躇满志	熱情的, 充滿鬥志	정열적으로, 열정적으로
2	主張	しゅちょう	assertion	主张	主張	주장
2	論争	ろんそう	controversy; dispute	论争	爭論	논쟁
2	避ける	さける	to avoid	回避	避開, 迴避	피하다
2	～不足	～ぶそく	lack of~	～不足	～不足	~부족
2	批判	ひはん	criticism	批判	批判	비판
2	薄める	うすめる	to dilute; to water down	减轻, 减少	減輕, 減少	묽게 하다, 엷게 하다
外	ある程度	ある-ていど	to some extent	在某种程度上	在某種程度上	어느 정도
2	成功する	せいこう-する	to succeed	成功	成功	성공하다
2	まあまあ		so-so; fair	还可以	還可以, 馬馬虎虎	그런대로, 무던히
外	挙げる	あげる	to raise; to mention	列举	列舉	들다
2	文	ぶん	sentence	文章	文章	글, 문장
外	一本調子	いっぽん-ちょうし	monotone	死板的	死板的	단조로운

■ 語彙リスト ■

外	中略	ちゅうりゃく	omission	省略	部分省略	중략
1	肝心	かんじん	vital; essential	重要	重要的	중요
2	抽象的な	ちゅうしょう-てきな	abstract	抽象的	抽象的	추상적인
1	発言	はつげん	remark	发言	發言	발언
外	無敵	むてき	invincible	无敌	無敵	무적
外	たじたじ		to flinch; to shrink away	畏缩	畏縮	쩔쩔매다, 기가 죽다
1	財政	ざいせい	financial affairs	财政	財政	재정
外	持論	じろん	opinion; contention	一贯的主张	一貫的主張, 意見	지론
2	展開する	てんかい-する	to develop	展开	展開	전개하다, 펼치다
2	詰まる	つまる	to be clogged	堵塞	堵塞, 说不出话	막히다
2	場面	ばめん	scene	场面	場面	장면
外	完敗	かんぱい	complete defeat	彻底失败	徹底失敗	완패
2	実際	じっさい	actually	实际	實際上	실제
2	様子	ようす	appearance; situation	样子	樣子	모습, 상황
1	読者	どくしゃ	reader	读者	讀者	독자
外	健闘する	けんとう-する	to make a strenuous effort; to fight bravely	奋斗	奮鬥	건투하다
2	大～	だい～	big~	非常～	非常～	대～
2	異なる	ことなる	to differ	不同	不同	다르다
2	印象	いんしょう	impression	印象	印象	인상
1	メディア		media	媒体	媒體	미디어
2	情報	じょうほう	information	情报	情報	정보
2	人間	にんげん	human being; man	人间	人間	인간
2	左右する	さゆう-する	to influence	左右, 影响	左右, 影響	좌우하다
	如実に示す	にょじつに しめす	to give a clear account of; to show vividly	如实表示	如實表示	여실히 드러내다
1	例	れい	example	例	例	예
2	なお		furthermore; for your information	尚	尚	또한
外	そもそも		in the first place	最初	最初, 原本	애당초, 애초에
1	一切	いっさい	all; without exception; entirely	一切	一切	일절
2	触れる	ふれる	to mention	提及, 涉及	提及, 涉及	닿다, 스치다
2	～社	しゃ	~company	～公司	～公司	～사
2	判断	はんだん	judgment	判断	判斷	판단
2	一方	いっぽう	on the other hand	一方面	另一方面	한편
2	通信	つうしん	correspondence; news agency	通信	通信	통신
2	評価する	ひょうか-する	to evaluate; to assess	评价	評價	평가하다
外	面白おかしい	おもしろ-おかしい	humorous	怪可笑的	有趣的, 風趣的	우습다
外	有権者	ゆうけん-しゃ	voter	选民	選民	유권자
2	材料	ざいりょう	material	材料	材料	재료
1	提供する	ていきょう-する	to provide	提供	提供	제공하다
2	めでたい		happy; auspicious	可喜	可喜, 成功地	경사스럽다, 축하할 만하다
1	当選する	とうせん-する	to be elected	当选	當選	당선되다
2	就任する	しゅうにん-する	to inaugurate; to assume office	就任	就任	취임하다
外	(ご)存知	(ご)ぞんじ	knowing; (an) acquaintance	正如所知	正如您所知	아시는 바
外	リテラシー		literacy	阅读和写作能力	讀寫的運用能力	리터러시
2	内容	ないよう	content	内容	內容	내용

2	冷静な	れいせいな	calm	冷静	冷靜	냉정한
2	読み解く [読む + 解く]	よみとく	to read carefully; to decipher	阅读理解	正確地讀出	해독하다, 읽고 이해하다
2	あるいは		or; possibly	或者	或者	또는, 혹은
2	解釈する	かいしゃく-する	to interpret; to explain	解析	解析	해석하다
外	マスメディア		mass media	大众传媒	大眾傳媒	매스미디어
2	身	み	body; oneself	身体	身體	몸
2	者	もの	person	者, 人	者, 人	사람, 자
1	資格	しかく	qualification	资格	資格	자격
外	～といえども		even	即使……也	即使……也	~(이)라 하더라도
2	結局	けっきょく	after all; eventually	结果, 毕竟	結果, 畢竟	결국
2	勘違いする	かんちがい-する	to be mistaken	误会	誤會, 弄錯	착각하다
2	出来事	できごと	event; happening	发生的事	發生的事	일, 사건
2	部分	ぶぶん	part	部分	部分	부분
2	常に	つねに	always	总是, 经常	總是, 經常	항상, 언제나
外	取捨選択	しゅしゃ-せんたく	selection; making a choice	选择取舍	選擇取捨	취사 선택
2	活躍する	かつやく-する	to play an active part	活跃	活躍	활약하다
2	選手	せんしゅ	player	选手	選手	선수
1	コーナー		corner	角	單元, 節目	코너
外	取上げる [取る + 上げる]	とりあげる	to take up	提起	提起, 採用	다루다, 취급하다
	錯覚に陥る	さっかくに おちいる	to be under an illusion	陷入错觉	陷入錯覺	착각에 빠지다
2	実は	じつは	actually	实际上	實際上	사실은
2	チーム		team	队	隊伍	팀
1	勝利する	しょうり-する	to win	胜利	勝利	승리하다
2	ふだん		usually	大概	大概, 通常	평소
2	姿	すがた	figure	姿态, 身影	姿態, 身影	모습
2	登場する	とうじょう-する	to appear	登场	登場	등장하다
外	視聴者	しちょう-しゃ	viewer; audience	听众, 观众	聽眾, 觀眾	시청자
2	プロ		professional	职业, 专业, 专家	職業, 專業, 專家	프로
2	選択	せんたく	selection	选择	選擇	선택
2	受け取る [受ける + 取る]	うけとる	to receive	收取, 领取	接受, 理解, 解釋, 領取	받아 들이다
1	認識	にんしき	recognition; knowledge	认识	認識	인식
2	果たして	はたして	really (in questions)	果然	果然	과연
1	主観	しゅかん	subjectivity	主观	主觀	주관
外	自問自答する	じもんじとう-する	to wonder to oneself; to answer one's own question	自问自答	自問自答	자문자답하다
2	求める	もとめる	to require	要求, 追求	要求, 追求, 得到	요구하다
2	先ほど	さきほど	a little while ago	刚才	剛才	조금 전
2	少なくとも	すくなく-とも	at least	至少	至少	적어도
1	意図的な	いと-てきな	intentional	有意图的	有意圖的	의도적인
2	事実	じじつ	fact	事实	事實	사실
外	ねじ曲げる [ねじる + 曲げる]	ねじまげる	to distort; to twist	扭曲	扭曲	왜곡하다
2	操作	そうさ	manipulation	操作	操作	조작
外	顕著な	けんちょな	remarkable; striking; obvious	显著	顯然地	현저한

■第2課　価値の一様性

2	価値	かち	value	价值	價值	가치
1	一様な	いちような	uniform	一致的	單一的	한결같은, 똑같은
2	～性	～せい	nature (suffix to turn an adjective) to a noun	～性質的	～性質的	～성
1	多様な	たような	diverse	多种多样的	多種多樣的	다양한
1	～観	～かん	view	～观念	～觀念	～관
2	果して	はたして	really (in questions)	果然	果然	과연
1	実状	じつじょう	real state	实际状况	實際狀況	실상
1	染まる	そまる	to dye; to be affected	染上，染成	染上，染成	물들다
2	親	おや	parent	父母	父母	부모
2	点数	てんすう	mark; grade	分数	分數	점수
外	序列	じょれつ	rank	序列	序列，順位	서열
2	評価する	ひょうか-する	to evaluate	评价	評價	평가하다
2	対象	たいしょう	object	对象	對象	대상
1	上位	じょうい	upper	前～名	前～名，上位	상위
外	位する	くらい-する	to rank	位于	位於	위치하다
2	教師	きょうし	teacher	教师	教師	교사
2	考え	かんがえ	idea	想法	想法	생각
1	根本	こんぽん	root; base	根本	根本	근본
2	就職する	しゅうしょく-する	to find employment	就职	就職	취직하다
2	幸福	こうふく	happiness	幸福	幸福	행복
外	ランクづけする		to rank	排位，排顺序	排位，排順序，排名	순위를 매기다
2	事実	じじつ	fact	事实	事實	사실
1	個性	こせい	individuality; personality	个性	個性	개성
2	従う	したがう	to follow	按照，服从	按照，服從，遵從	따르다
2	成績	せいせき	grade; record	成绩	成績	성적
2	生じる	しょうじる	to occur	产生，发生	產生，發生	생기다, 발생하다
2	論じる	ろんじる	to discuss	讨论	討論	논하다
2	奪う	うばう	to deprive	夺取	奪取	빼앗다
2	平気な	へいきな	indifferent; unashamed	不在乎	不在乎	태연한, 아무렇지도 않은
外	加担する	かたん-する	to take part in; to assist	胁从，参与	參與，協助	가담하다
外	某～	ぼう～	certain~	某～	某～	모～
2	一流	いちりゅう	first class	一流	一流	일류
2	～部	～ぶ	department	～系	～系	～부
2	医師	いし	doctor	医师	醫師	의사
2	自殺	じさつ	suicide	自杀	自殺	자살
外	未遂	みすい	attempt	未遂	未遂	미수
2	家庭教師	かてい-きょうし	tutor	家庭教师	家庭老師	가정교사
2	常に	つねに	always	总是，经常	總是，經常	항상, 언제나
2	最高	さいこう	top	最好	最好	최고
2	対～	たい～	with~	对待～	對待～	대～
2	患者	かんじゃ	patient	患者	患者	환자
3	看護婦	かんごふ	nurse	护士	護士	간호사
1	悲観する	ひかん-する	to take a pessimistic view; to feel gloomy	悲观	悲觀	비관하다
1	例	れい	instance; case	例	例	예
2	接する	せっする	to come in contact with	接，连接，交往	接待，對待	접하다
2	縛る	しばる	to bind	捆，绑	捆綁，束縛	얽매다, 속박하다, 묶다

外	カラまわり		run idle; to go round in circles	空转，徒劳	空轉，徒勞	헛돎, 겉돎	
2	感じる	かんじる	to feel	感到	感到	느끼다	
2	素直な	すなおな	obedient	纯朴，老实	純樸，老實，誠摯	온순한, 고분고분한	
2	理想	りそう	ideal	理想	理想	이상	
2	～像	～ぞう	image of~	～形象	～形象	～상	
2	目上	めうえ	senior; elder	级别高的，年长的	長輩，年長的，地位高的	손위	
1	模範	もはん	model; example	模范	模範	모범	
1	自主	じしゅ	independent	自主	自主	자주	
2	判断	はんだん	judgment	判断	判斷	판단	
外	優等生	ゆうとう-せい	honor student	优等生	優等生	우등생	
外	挫折する	ざせつ-する	to fail; to meet with a setback	挫折	挫折	좌절하다	
1	犠牲	ぎせい	sacrifice	牺牲	犧牲	희생	
2	理解	りかい	understanding	理解	理解	이해	
第3課　言葉の起源をもとめて							
1	埋め尽くす [埋める＋尽くす]	うめつくす	to fill up	堆满，挤满	填滿，充滿	완전히(가득) 메우다	
1	起源	きげん	origin	起源	起源	기원	
1	概念	がいねん	concept; general idea	概念	概念	개념	
1	進化する	しんか-する	to evolve	进化	進化	진화하다	
1	仕組み	しくみ	mechanism; arrangement	结构，构造	結構，構造	구조	
外	形質	けいしつ	feature	性质	特徵，形狀與性質	형질	
外	不連続	ふ-れんぞく	discontinuity	不连续的	不連續的	불연속	
1	前適応	ぜん-てきおう	pre-adaptation	前适应	前適應	전적응	
1	適応的	てきおう-てき	adaptive	适应	適應	적응적	
外	さえずり [＜囀る]	さえずり [＜さえずる]	(bird) song; chirping	啼叫	啼叫	지저귐	
2	過剰な	かじょうな	excessive	过多，过剩	過多，過剩	과도한	
外	個体	こたい	individual	个体	個體	개체	
2	子孫	しそん	descendant; offspring	子孙	子孫	자손	
外	指標	しひょう	index; indicator	指标	指標	지표	
外	鯨	くじら	whale	鲸鱼	鯨魚	고래	
外	求愛する	きゅうあい-する	to court	求爱	求愛	구애하다	
外	飼い主	かい-ぬし	owner	主人	主人	주인	
外	イントネーション		intonation	语调，声调	語調，聲調	억양	
外◆	誇大評価	こだい-ひょうか	overestimate	夸大评价	誇大的評價	과대평가	
外	オウム		parrot	鹦鹉	鸚鵡	앵무새	
外◆	九官鳥	きゅうかんちょう	hill myna (species of mynah bird)	八哥	八哥，九官鳥	구관조	
外	類人猿	るいじんえん	anthropoid; ape	类人猿	類人猿	유인원	
1	異性	いせい	opposite sex	异性	異性	이성	
1	狩り [＜狩る]	かり [＜かる]	hunting	抓捕，摘取	抓捕，獵捕	사냥	
外	分節化	ぶんせつ-か	segmentation	分支	分支，部分	분절화	
第4課　経済学とは何か							
2	科目	かもく	subject	科目	科目	과목	
外	文科系	ぶんか-けい	liberal arts; the humanities	文科类	文科類	문과계(열)	
1	理科系	りか-けい	science	理科类	理科類	이과계(열)	

■語彙リスト■

外	天文学	てんもん-がく	astronomy	天文学	天文學	천문학
2	おそらく		probably; likely; perhaps	恐怕，可能	恐怕，可能	아마, 필시
外	そもそも		in the first place	原本	原本	애당초, 애초에
	手にする	てにする	to take; to pick up	得到，到手	得到，到手	손에 들다
2	きっかけ		trigger; motive	契机	契機	계기
2	印象	いんしょう	impression	印象	印象	인상
2	分野	ぶんや	field	领域	領域	분야
外	解明する	かいめい-する	to solve, to clear	阐明	闡明	해명하다
外	難解な	なんかいな	difficult	难以理解	難以理解	난해한
2	専門用語	せんもん-ようご	technical term	专业用语	專業用語	전문 용어
外	読みとる [読む＋とる]	よみとる	to grasp	读取	理解	알아차리다, 간파하다
2	想像する	そうぞう-する	to imagine	想象	想像	상상하다
2	当然	とうぜん	natural; no wonder	当然	當然	당연
3	翻訳する	ほんやく-する	to translate	翻译	翻譯	번역하다
2	人造語	じんぞう-ご	coinage	人造语	人造語	인조어, 인공어
1	自ずから	おのずから	naturally; by itself	自然而然的	自然而然的	저절로, 자연히
2	眺める	ながめる	to look at; to gaze	眺望	眺望，盯住	눈여겨보다, 응시하다
1	語句	ごく	words and phrases	语句	語句	어구
1	出題する	しゅつだい-する	to propose a question	出题	出題	출제하다
2	とんでもない		outrageous; wild; unthinkable	出乎意料	出乎意料	터무니 없는, 엉뚱한
2	単純な	たんじゅんな	simple	单纯	單純	단순한
	一息入れる	ひといき いれる	to have a break	喘息	休息，喘息	한숨 돌리다
外◆	効用	こうよう	effect	效用	效用	효용
2	限界	げんかい	limit	极限	極限	한계
外◆	限界効用	げんかい-こうよう	marginal utility	边际效用	邊際效用	한계효용
2	到る所	いたる ところ	everywhere	到处	到處	도처, 가는 곳마다
2	満足度	まんぞく-ど	(degree of) satisfaction	满足度	滿足度	만족도
	想像がつく	そうぞうが つく	to be imaginable	可以想象	可以想像	상상이 가다
2	マスターする		to master	学会，掌握	學會，掌握	마스터하다
2	かかわる		to be affected; to be influenced	关涉	與...有關	관계되다
外	ある程度	ある ていど	to some degree	一定程度上	一定程度上	어느 정도
2	抽象的な	ちゅうしょう-てきな	abstract	抽象的	抽象的	추상적인
2	重要性	じゅうよう-せい	importance	重要性	重要性	중요성
外	実社会	じっしゃかい	the real world	现实社会	現實社會	실제 사회
外	〜につれて		as; accordingly	随着	隨著	〜에 따라
1	受け入れる [受ける＋入れる]	うけいれる	to accept	接受	接受	받아 들이다, 수용하다
2	必要性	ひつよう-せい	necessity	必要性	必要性	필요성
1	痛感する	つうかん-する	to feel keenly	痛感	深有所感	통감하다
外	フォローする		to follow; to watch	跟踪，追随	跟踪，追隨	추적하다
	多分に	たぶんに	largely	大概	大概地	다분히, 대개, 거의
2	一般的な	いっぱん-てきな	general	一般的	一般的	일반적인
2	イメージ		image	形象	形象	이미지
1	投資	とうし	investment	投资	投資	투자
1	定義	ていぎ	definition	定义	定義	정의
1	欲望	よくぼう	desire	欲望	慾望	욕망

	語	読み	英語	中文簡体	中文繁體	한국어
1	満たす	みたす	to fill; to satisfy	满足	滿足	채우다, 충족시키다
1	相対的な	そうたい-てきな	relative	相对的	相對的	상대적인
2	活用する	かつよう-する	to make a practical use of	活用	活用	활용하다
1	かなう		to be satisfied	实现	實現	이루어지다
外	ちなみに		by the way; in this connection	顺便说一下	順便一提	덧붙여 말하면
外	充足する	じゅうそく-する	to be satisfied	充足	充足	충족하다
2	存在する	そんざい-する	to exist	存在	存在	존재하다
2	用途	ようと	use; purpose	用途	用途	용도
外	振り分ける [振る+分ける]	ふりわける	to distribute; to allot	分配	分配	분배하다
外	最適配分	さいてき-はいぶん	optimum allocation	最优分配	最適當分配	최적배분
外	前述の	ぜんじゅつの	the above-mentioned	前述的	前述的	전술한
2	ぴったり		exactly	恰好	恰好	딱
外	当てはまる [当て+はまる]	あてはまる	to apply	符合	符合	들어맞다, 적용되다
2	休講	きゅうこう	no class; cancelled lesson	停课	停課	휴강

第5課　思いやり

	語	読み	英語	中文簡体	中文繁體	한국어
外	思いやり	おもいやり	consideration	体谅, 关怀	體諒, 關懷	(남의 심정, 입장을) 생각함
外◆	徳目	とくもく	item of virtue	德目	忠孝仁義等道德觀	덕목
外	キーワード		key word	关键字	關鍵字	키워드
2	項目	こうもく	item	项目	項目	항목
2	トップ		top	首位	首位	탑, 으뜸, 첫째, 수위
1	心情	しんじょう	sentiment	心情	心情	심정
外	推しはかる [推す+量る]	おしはかる	to imagine	推测	推測	헤아리다, 짐작하다, 추측하다
外	気配り	き-くばり	attention; consideration	关注	關注, 關懷	배려, 실수가 없도록 마음을 씀
1	普遍的な	ふへん-てきな	universal	普遍的	普遍的	보편적인
外	善悪	ぜんあく	good and evil	善恶	善惡	선악
2	基準	きじゅん	standard	基准	基準	기준
外	適合する	てきごう-する	to conform	适合	適合	적합하다
1	原理原則	げんり-げんそく	principle	原理原则	原理原則	원리원칙
外◆	感情移入	かじょう-いにゅう	empathy	感情移入	感情移入	감정이입
外	重要視する	じゅうよう-し-する	to regard highly; to attach importance to	重视	特別重視某部分	중요시하다
外◆	気働き	き-ばたらき	cleverness; wit	机灵	機靈	재치, 슬기
	～といっても過言ではない	～と いっても かごんではない	to be no exaggeration to say~	这样说也不过分即使这么说也不算过分	這樣說也不過分即使這麽說也不算過分	~라 해도 과언이아니다
1	説く	とく	to preach; to persuade	说	說	설명하다, 말하다
外	機敏な	きびんな	quick	机敏的	機敏的	기민한, 민첩한
外	見極める	み-きわめる	to see through; to probe	看透, 认清	看透, 認清	가려내다, 사물의 본질을 끝까지 밝히다
	労をいとわず	ろうを いとわず	not minding trouble	不辞辛劳	不辭辛勞, 不厭其煩	노력(수고)을 마다하지 않고
1	尊い	とうとい	precious	宝贵	寶貴的, 尊貴的	고귀하다, 귀중하다
1	すばやい		prompt; quick	快捷	快捷, 快速	재빠르다, 민첩하다
	気がきく	きが きく	attentive	机灵	機靈	자잘한 데까지 생각이 잘 미치다, 눈치가 있다
外	察し	さっし	guess	察觉	察覺	살펴 헤아림, 짐작, 이해, 눈치

語彙リスト

3	優しい	やさしい	gentle; kind	温柔	溫柔，體貼	상냥하다, 온화하다, (마음씨가) 곱다
外	気遣い	き-づかい	consideration	关注，关切	關注，關切	배려, 마음씀, 걱정
2	便箋	びんせん	stationery; writing paper	信纸	信紙	편지지
外	点灯	てんとう	turning on a light	点灯	點燈	점등
外◆	すげない		cold; curt	冷淡无情	冷淡無情	매정하다, 쌀쌀하다, 무뚝뚝하다
1	試みる	こころみる	to attempt	尝试	嘗試	시도해 보다, 시험해 보다
外◆	ぶちまける		to throw out; to spew	倾倒	傾倒, 發洩	털어놓다, 터뜨리다
2	文脈	ぶんみゃく	context	文理，文脉	文理, 文脈	문맥
1	ゆえ		owing to~	因为…	因為…	~이므로, ~ 때문에

第6課　住まい方の思想

2	維持する	いじ-する	to maintain	维持	維持	유지하다
2	特殊性	とくしゅ-せい	specificity; distinctiveness	特殊性	特殊性	특수성
外◆	中華丼	ちゅうか-どんぶり	china bowl	中式盖浇饭	中式蓋飯	중화식 돈부리 (그릇)
外◆	湯呑	ゆのみ	cup (for green tea)	茶杯	茶杯	(주로 녹차를 마시는) 찻잔
外◆	デミタス・カップ		demitasse cup; small cup	咖啡杯	咖啡杯	드미타스컵, 작은 커피잔
外◆	湯豆腐	ゆ-どうふ	boiled tofu (a tofu dish)	豆腐料理的一种	豆腐料理的一種	두부를 다시마 등의 국물에 삶은 요리
外◆	レンゲ		china spoon	勺子	湯匙	자루까지 우묵한 사기숟가락
	念頭に浮かぶ	ねんとうに うかぶ	to cross the mind	浮现心头	浮現心頭, 念頭閃過	머리에 떠오르다
3	滑る	すべる	to slip	滑	滑	미끄러지다
外	撥ねる	はねる	to splash	溅出	濺出, 噴出	튀다, 튀기다
	用が足りる	ようが たりる	to suffice	充足，足够	充足, 足夠	(기능, 역할 상) 충분하다
外	激減する	げきげん-する	to decline sharply	锐减	銳減	격감하다
外	竜	りゅう	dragon	龙	龍	용
2	模様	もよう	pattern	花纹	花紋	모양
外	幻影	げんえい	illusion	幻影	幻影	환영
外	素裸	すはだか	completely naked	赤裸	赤裸	알몸, 맨몸
2	精神性	せいしん-せい	spirituality	精神性	精神性	정신성
外	付与する	ふよ-する	to give	付与	付與	부여하다
外	住みか	すみか	home	家，住所	家, 住所	거처, 집
外	収納する	しゅうのう-する	to store	收纳	收納	수납하다
1	必要不可欠な	ひつよう-ふかけつな	essential; indispensable	必不可缺的	必要不可缺的	필수불가결한, 필수적인
1	物足りない	ものたりない	not satisfactory	不足，欠缺	不足, 欠缺	(뭔가 조금) 부족하다, 아쉽다
外	バラエティー		variety	综艺节目	綜藝節目	버라이어티, 다양성
1	こだわる[拘る]	こだわる	to stick to~	拘泥	拘泥	고집하다, 몰두하다
外	惑わす	まどわす	to mislead; to puzzle; to perplex	迷惑	使迷惑	현혹하다, 유혹하다
外	優雅な	ゆうがな	graceful; elegant	优雅	優雅	우아한
1	高尚な	こうしょうな	lofty	高尚	高尚	고상한
1	武装する	ぶそう-する	to be armed	武装	武裝	무장하다
外	空虚な	くうきょな	empty	空虚	空虛	공허한
外	そぎ落とす[削ぎ落とす]	そぎおとす	to shave off	削落	削落, 去除	얇게 도려내다, 배제하다
外	信条	しんじょう	creed	信条	信念	신조

第7課　決まった道はない。ただ行き先があるのみだ

1	獣医師	じゅういし	veterinarian	兽医	獸醫	수의사
外	端正な	たんせいな	clean-cut; handsome	端正	端正,斯文,有氣質	단정한
外	拠点	きょてん	base	据点	據點	거점
2	絶滅する	ぜつめつ-する	to be extinct	灭绝	滅絕	멸종하다
	危機に瀕する	きき に ひんする	to be endangered	濒临危机	瀕臨危機	위기에 처하다 (직면하다)
外	伐採する	ばっさい-する	to deforest	采伐	採伐	벌채하다
外	様変わりする	さまがわり-する	to change completely	变样	變樣	변모하다, 변화하다
外	住処	すみか	home; habitat	家，住所	家,住所	거처
1	獲物	えもの	prey; game	猎物	獵物	먹이, 사냥감
	あとを絶たない	あとを たたない	never ending	络绎不绝	絡繹不絕,從不間斷	끊이지 않다
外	編み出す [編む＋出す]	あみだす	to devise; to work out	创造出	創造出	고안하다, 생각해 내다
外	駆使する	くし-する	to make good use of~	驱迫	純熟運用, 熟練	구사하다
外	癒える	いえる	to heal	痊愈	痊癒, 治癒	아물다, 낫다
外	丹念な	たんねんな	careful	仔细的	仔細的	정성껏
外	リハビリ		rehabilitation	康复运动	復健運動	재활치료
	心血を注ぐ	しんけつを そそぐ	to put one's blood into~	花费心血	花費心血	심혈을 기울이다
外	絵空事	えそらごと	pipe dream; illusion	幻想	幻想	허풍스럽고 진실성이 없는 것 (일)
1	切ない	せつない	sad; miserable	难受的	難受的	안타깝다, 애달프다
2	診る	みる	to examine	看病	看病, 診斷	진찰하다
外	間近な	まぢかな	close	迫近	迫近, 靠近	가까운, 임박한
外	高貴な	こうきな	noble	高贵的	高貴的	고귀한
外	惹きつける [惹く＋つける]	ひきつける	to attract	吸引	吸引	매혹하다, 사로잡다
外	物陰	ものかげ	shade; cover	背地	背影處, 隱蔽處	가려서 보이지 않는 곳, 그늘진 부분
外	瀕死の	ひんしの	dying; fatally injured	濒临死亡的	瀕臨死亡的	빈사 (상태) 의
	堰を切ったように	せきを きったように	gushing forth; bursting out	像堤坝被冲毁一样	像潰堤般	둑이 터진 것처럼
外	死因	しいん	cause of death	死因	死因	사인
	背筋が寒くなる	せすじが さむくなる	to have an eerie feeling	脊梁发冷	脊梁發寒, 令人發寒	등골이 오싹해지다
外	点滴	てんてき	intravenous drip	点滴	點滴	링겔
外	解毒剤	げどく-ざい	antidote	解毒剂	解毒劑	해독제
外	衰弱死する	すいじゃく-し-する	to be debilitated to death	衰弱致死	衰弱致死	쇠약사하다
外	体毛	たいもう	fur	毛发	毛髮	체모, 몸의 털
1	鉛	なまり	lead (the metal)	铅	鉛	납
外	弾丸	だんがん	bullet	子弹	子彈	탄환, 총알
外	ついばむ		to pick; to eat	啄	啄	쪼아 먹다
1	鉛中毒	なまり-ちゅうどく	lead poisoning	铅中毒	鉛中毒	납중독
外	発症する	はっしょう-する	to outbreak (an illness)	发病	發病	발병하다
1	繁殖する	はんしょく-する	to breed	繁殖	繁殖	번식하다
外	南下する	なんか-する	to go south	南下	南下	남하하다
外	越冬する	えっとう-する	to winter over; to hibernate	越冬	越冬	월동하다
外	生息地	せいそく-ち	habitat	栖息地	棲息地	생식지, 서식지
外	感電する	かんでん-する	to get an electrical shock	触电	觸電	감전되다
外	軋轢	あつれき	friction	不和	不和	알력

■ 語彙リスト ■

外	絶滅危惧種	ぜつめつ-きぐ-しゅ	endangered species	灭绝危机物种	瀕臨滅絕物種	멸종위기종
外	陥る	おちいる	to fall; to cave in; to collapse	陷入	陷入	빠지다, 처하다
外	直訴する	じきそ-する	to appeal directly	直接上诉	直接上訴	직소하다
外	毒性	どくせい	toxicity	毒性	毒性	독성
2	銅	どう	copper	铜	銅	구리, 동
2	悲劇	ひげき	tragedy	悲剧	悲劇	비극
外	殺傷力	さっしょう-りょく	killing power	杀伤力	殺傷力	살상력
外	取り合う [取る+合う]	とりあう	to take seriously	理会	理會	상대하다, 받아들이다
1	脅迫する	きょうはく-する	to threat	恐吓	恐嚇	협박하다
1	抗議する	こうぎ-する	to protest	抗议	抗議	항의하다
1	絶望的な	ぜつぼう-てきな	hopeless	绝望的	絕望的	절망적인
外	生態系	せいたい-けい	ecosystem	生态系	生態系	생태계
2	雇い上げる [雇う+上げる]	やといあげる	to employ; to hire	全部雇用	全部僱用	고용하다
外	ツンドラ		tundra	寒带	寒帶	툰드라
外	湿地帯	しっち-たい	wetlands	湿地	濕地	습지대
外	立ち往生する	たちおうじょう-する	to be stuck	抛锚	抛錨	꼼짝 못하다, 오도가도 못하다
2	助手席	じょしゅ-せき	passenger seat	助手席	副駕駛座	조수석
外	ねぎらう[労う]	ねぎらう	to reward; to express thanks	犒劳	慰勞	노고를 치하하고 위로하다
1	片言	かたこと	broken	只言片语	隻字片語	서투른 말씨
1	もがく		to struggle	挣扎	掙扎	허덕이다, 발버둥치다
外	突き刺さる [突く+刺さる]	つきささる	to pierce; to jab into~	扎	扎	꽂히다, 박히다, 찌르다
外	拓ける	ひらける	to open; to be found	开拓	開拓	열리다, 개척하다
外	とてつもない		extraordinary	出奇	非比尋常	엄청나다, 터무니없다
外	暗闇	くらやみ	darkness	黑暗	黑暗	어둠
外	ハンター		hunter	猎人	獵人	사냥꾼, 헌터
2	訴えかける [訴える+かける]	うったえかける	to appeal	呼吁	呼籲	호소하다
2	弾	たま	bullet	子弹	子彈	탄환, 총알
外	当事者	とうじ-しゃ	the parties concerned	当事者	當事者	당사자
1	実態	じったい	true state; actual condition; reality	实际情况	實際情況	실태
外	身構える	みがまえる	to stand ready; to put oneself on guard	摆出架势	擺好姿勢, 精神準備	자세를 취하다, (마음의) 준비를 하다
外	無毒な	むどくな	nontoxic	无毒	無毒	독이 없는
外	風向き	かざむき	wind's direction	风向	風向	형세, 상황, 풍향
2	続々と	ぞくぞくと	successively; one after another	陆续	陸續	잇달아, 계속해서
外	～猟	りょう	~hunting	猎	獵	사냥
1	実質的な	じっしつ-てきな	substantial	实质性的	實質性的	실질적인
	風穴が空く	かざあなが あく	to have an air hole; to break the deadlock	打开突破口	展開新局面	상황(사태) 등이 변하다
2	一定数	いってい-すう	some; a certain number	一定数	一定數	일정수
外	所詮	しょせん	after all	终归	終歸	어차피, 결국
外	臨機応変な	りんきおうへんな	flexible; as occasion may require	临机应变	臨機應變	임기응변의
1	対処する	たいしょ-する	to cope with; to manage	对处, 对应	對處・對應	대처하다

外	立ち返る ［立つ＋返る］	たちかえる	to go back	返回	返回	되돌아가다, 되돌아오다
1	嘴	くちばし	beak	啄	嘴	(새의) 부리, 주둥이
1	携わる	たずさわる	to be involved; to engage	从事	從事	종사하다
1	馴らす	ならす	to tame	馴服	馴服	길들이다
1	本能	ほんのう	instinct	本能	本能	본능
3	撃つ	うつ	to shoot	射击	射擊	쏘다, 사격하다
1	行政	ぎょうせい	administration; government	行政	行政	행정

第8課　メディアがもたらす環境変容に関する意識調査

1	メディア		media	媒体	媒體	미디어
外	変容	へんよう	change; transformation	变样	變樣, 改觀	변용, 변모
外	マナー		manners	礼节, 礼仪	禮節, 禮儀	매너
1	もたらす		to bring about	造成	造成, 帶來	초래하다, 야기하다
2	要旨	ようし	gist; summary	要旨	要旨	요지
2	設計	せっけい	design	设计	設計	설계
1	指摘する	してき-する	to point; to indicate	指出	指出	지적하다
2	文献	ぶんけん	document	文献	文獻	문헌
外	仮説	かせつ	hypothesis	假设	假設, 假说	가설
外	由来する	ゆらい-する	to originate	由来	由來	유래하다
外	提唱する	ていしょう-する	to propose	提倡	提倡	제창하다
1	支持する	しじ-する	to support	支持	支持	지지하다
外	相関	そうかん	correlation	相关	相關	상관
外	顕著な	けんちょな	remarkable	显著的	顯著的	현저한
外	機動的な	きどう-てきな	agile; flexible	机动	機動	기동적인
1	良好な	りょうこうな	favorable; satisfactory	良好的	良好的	양호한
2	反映する	はんえい-する	to reflect	反映	反映	반영하다

第9課　改訂 介護概論

2	生き生き	いきいき	lively	生气勃勃	生氣勃勃	생기 넘치는 모양
1	概念	がいねん	concept	概念	概念	개념
1	生きがい	いきがい	something to live for	生活的意义	生活的意義	사는 보람
外	ニーズ		needs	需求	需求	니즈, 필요, 요구
外	寝たきり	ねたきり	bedridden	卧床不起	臥床不起	질병 등으로 누운 채 일어나지 못하는 상태
外◆	疾病	しっぺい	sickness	疾病	疾病	질병
外◆	ライフステージ		life stage	生命阶段	生命階段	라이프 스테이지
外	受容	じゅよう	acceptance	接受	接受	수용
1	自立	じりつ	independence	自立	自立	자립
外◆	認知症	にんち-しょう	dementia	痴呆	癡呆	치매
外◆	ケア		care	照料	照料	케어, 돌봄, 간호
外◆	終末期	しゅうまつ-き	terminal	晚期	晚期	(병, 질환 등의) 말기
	焦点を当てる	しょうてんを あてる	to focus	猜测焦点	注目的焦點	초점을 맞추다, 집중하다
2	体制	たいせい	system	体制	體制	체제
1	改修	かいしゅう	improvement	修复	修復	개수, 수리
外◆	排泄	はいせつ	excretion	排泄	排泄	배설
外	身だしなみ	みだしなみ	personal appearance; grooming	讲究穿着	講究穿著, 重禮儀, 有教養	몸가짐

外◆	ボディメカニクス		body mechanics	身体结构	身體結構，人體運動機能	신체역학
外◆	体位	たいい	body position; posture	体位，姿势	體位，姿勢	체위
2	相互	そうご	mutual; reciprocal	相互	相互	상호
外◆	ケアマネジメント		care management	保健管理	保健管理	고령자나 간호 대상자를 위한 포괄적인 간호지원
1	施設	しせつ	facility; institution	设施	設施	시설
2	援助	えんじょ	assistance	援助	援助	원조
外◆	居宅	きょたく	home; residence	住宅	住宅	주택
2	展開	てんかい	development; unfolding; deployment	展开	展開	전개
1	転換	てんかん	conversion	转换	轉換	전환
外	留意点	りゅうい-てん	notes; things to keep in mind	留意点	留意點	유의점
外	共有化	きょうゆう-か	sharing	共有化	共有化	공유화
2	意義	いぎ	meaning	意义	意義	의의
外	連携	れんけい	cooperation	合作	合作	연계，제휴
外	虐待	ぎゃくたい	abuse	虐待	虐待	학대
1	拘束	こうそく	restraint	拘束	拘束	구속

第10課　ことばの構造、文化の構造

外◆	共時的な	きょうじ-てきな	synchronic	共时性	共時性	공시적인
外◆	通時的な	つうじ-てきな	diachronic	通时性	通時性	통시적인
2	展開する	てんかい-する	to develop	展开	展開	전개하다
外	終戦	しゅうせん	end of war	战争结束	戰爭結束	종전
2	～後	～ご	after~	～后	～後	～후
外	駐留する	ちゅうりゅう-する	to be stationed	驻留	駐留	주류하다，주둔하다
3	興味	きょうみ	interest	兴趣	興趣	흥미
2	示す	しめす	to show	显示	顯示	보이다，나타내다
1	～系	～けい	(of) ~descent	～血统	～血統	～계
	～あげて		all together	全体	全體	전체의，모두，모조리
2	見事な	みごとな	admirable	精彩，漂亮的	精彩的，漂亮的	멋진，훌륭한，뛰어난
2	～ぶり[～振り]		appearance (of doing~)	～作风	～作風，～樣子	～(하는) 모양，모습
	～風	～ふう	~style	～风格	～風格	～풍，～식，～스타일
1	おつまみ		snack (eaten with sake)	下酒菜	下酒菜	(술) 안주
1	カクテル		cocktail	鸡尾酒	雞尾酒	칵테일
2	済ませる	すませる	to finish	结束	結束	끝내다，마치다
1	一同	いちどう	all present; all concerned	大家，全体	大家，全體	일동，모두，전원
	座につく	せきに　つく	to sit at the table	入座	入座	자리에 앉다
外	ドンブリ		big bowl (for rice)	大碗	大碗	돈부리 (그릇)
外	盛りつける[盛る＋つける]	もりつける	to serve	盛	盛裝	(요리를) 담다
外	重なり合う[重なる＋合う]	かさなりあう	to overlap	层层叠叠	層層疊疊，重疊	서로 겹치다
1	主食	しゅしょく	staple food	主食	主食	주식
2	おかず		side dish	菜	菜	반찬
外	取上げる[取る＋上げる]	とりあげる	to take up	提起	提起	집어들다
1	かすかな		subtle	微弱的	微弱的，一點點的	희미한，어렴풋한，미미한
外	戸惑う	とまどう	to be puzzled	不知所措	不知所措，困惑	당황하다，망설이다

2	気配	けはい	indication; sign; hint	迹象	跡象	기미, 기색, 김새
	気が付く	きが つく	to notice	细心，周到	細心，周到，注意到	알아차리다, 눈치채다
外	マカロニ		macaroni	通心粉	通心粉	마카로니
外	スパゲッティ		spaghetti	意大利面	意大利麵	스파게티
2	相当する	そうとう-する	corresponding	相当	相當	상당하다, 해당하다
2	はたして		as was expected	果然	果然	생각했던 대로, 역시, 과연
1	香辛料	こうしんりょう	spice	调料	辛香料	향신료
外	ピラフ		pilaf	炒饭	炒飯	필라프
1	制約する	せいやく-する	to restrict	制约	制約	제약하다
2	構造体	こうぞう-たい	structure	构造体	構造體	구조체
2	制限	せいげん	restriction; restraint; limit	限制	限制	제한
3	規則	きそく	rule	规则	規則	규칙
3	習慣	しゅうかん	custom	习惯	習慣	습관
外	カトリック		catholic	天主教	天主教	가톨릭
外	～教徒	きょうと	believer in～	教徒	教徒	～교도
外◆	獣肉	じゅうにく	meat	肉	肉	수육, 짐승의 고기
外	イスラム		Islam	伊斯兰教	伊斯蘭教	이슬람
外	不浄な	ふじょうな	unclean	不浄的	不淨的	부정한
1	決して	けっして	never	绝对	絕對	결코, 절대로
外	明示的な	めいじ-てきな	explicit	明确的	明確的	명시적인
2	同一	どういつ	equality; sameness	同样	同樣	동일
2	価値	かち	value	价值	價值	가치
2	あちこち		here and there	到处	到處	여기저기
2	行儀	ぎょうぎ	manners	举止, 礼貌	舉止，禮貌	예의 범절, 행동거지의 예절
1	並列	へいれつ	parallel	并列	並列	병렬
3	(お)汁	お-しる	soup	汤	湯	국, 국물
外	麺類	めんるい	noodle	面类	麵類	면류
外◆	香の物	こうのもの	pickled vegetables	咸菜	醃製物	채소 절임
1	(～と)称する	(～と)しょうする	to be called ～	称为	稱為	(～라) 칭하다, 부르다, 일컫다
2	項目	こうもく	item	项目	項目	항목
外	見出す	みいだす	to find	标题	標題	찾아내다, 발견하다
外	内在する	ないざい-する	to subsist; intrinsic	内在	內在	내재하다
2	位置づける [位置＋つける]	いちづける	to locate	排位	排位	자리매김하다, 평가하다
2	(～を)なす		to form	构成	構成	(～을) 이루다, 형성하다
外	完結する	かんけつ-する	to conclude	完结	完結，總結	완결하다
2	引張り合う [引張る＋合う]	ひっぱりあう	to pull at each other	较劲	較勁，拉扯，對立	맞당기다
1	相対的な	そうたい-てきな	relative	相対的	相對的	상대적인
2	直ちに	ただちに	at once	马上	馬上	곧, 즉시, 당장
1	誤り	あやまり	mistake	错误	錯誤	잘못, 착오
2	与える	あたえる	to give	给与	給與	부여하다, 주다
第１１課　観光で行きたい国はどこ						
外	ニューヨーク		New York	纽约	紐約	뉴욕
外	ロンドン		London	伦敦	倫敦	런던
外	パリ		Paris	巴黎	巴黎	파리
外◆	ベルリン		Berlin	柏林	柏林	베를린

■ 語彙リスト ■

外◆	ジュネーブ		Geneva	日内瓦	日內瓦	제네바
外◆	アテネ		Athens	雅典	雅典	아테네
外◆	ナイアガラ(の滝)	ナイアガラ　の　たき	Niagara (falls)	尼亚加拉瀑布	尼加拉瓜大瀑布	나이아가라(폭포)
外◆	大英博物館	だいえい-はくぶつかん	British Museum	大英博物馆	大英博物館	대영박물관
外◆	モンマルトルの丘	モンマルトルの　おか	Montmartre (hill)	蒙马特高地	蒙馬特高地	몽마르뜨 언덕
外◆	ライン川	ライン-がわ	the Rhine (river)	莱茵河	萊茵河	라인강
外◆	ピサの斜塔	ピサの　しゃとう	Leaning Tower of Pisa	比萨斜塔	比薩斜塔	피사의 사탑
外◆	アルプス		the Alps	阿尔卑斯山	阿爾卑斯山	알프스
外◆	パルテノンの神殿	パルテノンの　しんでん	Parthenon (Temple)	帕提农神庙	帕提農神廟	파르테논 신전
2	観光	かんこう	sightseeing	观光	觀光	관광
1	世論調査	よろん-ちょうさ	public opinion poll	舆论调查	輿論調查	여론조사
外	事例	じれい	case	事例	事例	사례
2	調査	ちょうさ	research	调查	調查	조사
外	入門	にゅうもん	introduction	入门	入門	입문
2	結果	けっか	result	结果	結果	결과
外	表題	ひょうだい	title	标题	標題	표제, 제목
1	調べ方	しらべ-かた	research method	调查方法	調查方法	조사 방법
外	白書	はくしょ	white paper	白皮书	白書	백서
外	出国する	しゅっこく-する	to leave a country	出国	出國	출국하다
2	統計	とうけい	statistics	统计	統計	통계
1	業者	ぎょうしゃ	trader	业者	業者	업자
2	ベテラン		expert; veteran	老手	老手	베테랑
2	的確な	てきかくな	accurate	正确的	正確的	정확한
2	得る	える	to obtain	得到	得到	얻다
2	だが		however	但是	但是	그러나, 하지만
2	諸条件	しょ-じょうけん	terms and conditions	诸条件	諸條件	제조건, 여러 조건
2	縛る	しばる	to bind	束缚	束縛, 限制	묶다
2	疑問	ぎもん	doubt	疑问	疑問	의문
外	ハワイ		Hawaii	夏威夷	夏威夷	하와이
2	我慢する	がまん-する	to tolerate; to put up with	忍耐	忍耐	참다, 견디다
2	予測	よそく	prediction; estimation	预测	預測	예측
外	パック旅行	パック-りょこう	package tour	团体旅行	團體旅行	패키지 여행
1	開発する	かいはつ-する	to develop	开发	開發	개발하다
外	マーケティング・リサーチ		marketing research	市场调查	市場調查	마케팅 리서치
1	手法	しゅほう	method	手法	手法	수법
2	登場する	とうじょう-する	to appear	登场	登場	등장하다
2	対象	たいしょう	object	对象	對象	대상
外	次いで	ついで	next~; to be followed by~	其次	其次	뒤이어
外	おしまい		end	结束	結束	끝
1	意地悪い	いじわるい	nasty	心眼坏	壞心眼, 惡意地	심술궂다, 짓궂다
1	試みる	こころみる	to attempt	尝试	嘗試	시도하다, 시험해 보다
2	対象者	たいしょう-しゃ	object; examinee	对象	對象	대상자
2	条件	じょうけん	condition	条件	條件	조건
2	代表的	だいひょう-てき	typical	代表性的	代表性的	대표적
2	当然	とうぜん	natural	当然	當然	당연

2	印象	いんしょう	impression	印象	印象	인상
2	批判する	ひはん-する	to criticise	批判	批判	비판하다
2	妥当	だとう	appropriate	妥当	妥當	타당
2	差	さ	difference	差	差	차, 차이
外	各国	かっこく	each country	各国	各國	각국
2	せめて		at least	至少	至少	적어도, 최소한
1	受け止める[受ける+止める]	うけとめる	to accept	接受	接受	받아들이다
外	網羅する	もうら-する	to cover; to be exhaustive	网罗	網羅	망라하다
1	設ける	もうける	to make	设置	設置	마련하다, 준비하다, 만들다
2	ごく		very; extremely	极为, 极其	極為, 極其	극히, 지극히, 매우
2	スタイル		style	风格	風格	스타일
1	理屈	りくつ	theory; reason	道理	道理	이치, 이론
2	例外的な	れいがい-てきな	exceptional	例外的	例外的	예외적인
1	調査票	ちょうさ-ひょう	questionnaire	调查表	調查表	조사표
2	回答	かいとう	answer	回答	回答	회답
外	押しつける[押す+つける]	おしつける	to force; to push	强压于人	強壓於人, 逼迫	강요하다, 떠맡기다
1	配慮	はいりょ	consideration	关怀, 照顾	關懷, 關注, 思慮, 考量	배려
1	企画する	きかく-する	to plan; to design	策划	策劃	기획하다
外	選択肢	せんたくし	choice	选择	選擇	선택지
外	言うまでもない	いうまでも ない	needless to say	不用说, 不在话下	不用說, 不在話下	말할 것도 없다
2	集合調査法	しゅうごう-ちょうさ-ほう	collective survey	集合調査法	集合調査法	집합조사법

第12課　化粧する脳

外◆	証左	しょうさ	evidence	佐证	佐證	증좌, 증거
外	感化する	かんか-する	to influence	感化	感化	감화하다
外	確固とした	かっことした	firm	坚定	堅定	확고한
1	前提	ぜんてい	premise	前提	前提	전제
外	多面的な	ためん-てきな	multifaceted; versatile	多面的	多面性的	다면적인
外	柔軟性	じゅうなん-せい	flexibility	灵活性	靈活性	유연성
外	幼少期	ようしょう-き	childhood	童年	童年期	어린시절
外	神経質な	しんけいしつな	nervous	神经质	神經質	신경질적인
外◆	自家中毒	じか-ちゅうどく	autotoxemia	自体中毒	自體中毒	자가 중독
1	陥る	おちいる	to fall; to get into	陷入	陷入	빠지다
2	同一人物	どういつ-じんぶつ	same person	相同人物	相同人物	동일 인물
外	前頭葉	ぜんとうよう	frontal lobe	额叶	前額葉	전두엽
1	回路	かいろ	circuit	回路	迴路	회로
外	多重人格症	たじゅう-じんかく-しょう	multiple personality disorder	多重人格症	多重人格症	다중인격증
外◆	解離性同一性障害	かいり-せい-どういつ-せい-しょうがい	dissociative identity disorder	分离性同一性障碍	分離性同一性障礙	해리성 동일성 장애
外	異変	いへん	accident	变故	變故	이변, 이상
外	可塑性	かそ-せい	plasticity	可塑性	可塑性	가소성
外◆	アルゴリズム		algorithm	演算法	演算法	알고리즘
2	不確実性	ふ-かくじつ-せい	uncertainty	不确定性	不確定性	불확실성
外	プログラミング		programming	程序设计	程式設計	프로그래밍
2	人工知能	じんこう-ちのう	artificial intelligence	人工智能	人工智能	인공지능

■ 語彙リスト■

外◆	畢竟	ひっきょう	after all; in the final analysis	毕竟	畢竟	필경, 결국
外◆	所以	ゆえん	reason; grounds	原因，理由	原因，理由	까닭, 이유, 연유
外◆	八方美人	はっぽう-びじん	diplomatic person; everybody's friend	四面讨好	四面討好	팔방미인
1	知性	ちせい	intellect	理智	理智	지성
1	証	あかし	proof	证明	證明	증거
外	偽り	いつわり	false	虚假	虛假	거짓, 허위
外	病理	びょうり	pathology	病理	病理	병리
外	一貫する	いっかん-する	to be consistent	一贯	一貫	일관하다
外	仮面	かめん	mask	假面具	假面具	가면
2	覆い隠す [覆う+隠す]	おおいかくす	to hide; to cover	遮盖	遮蓋, 掩蓋	감추다, 숨기다, 은폐하다

■ クリティカル・リーディングを磨こう！

	磨きをかける	みがきを かける	to polish	打磨	鑽研	(실력을) 연마하다
1	外来	がいらい	foreign; exotic	外来	外來的	외래
外◆	アルゼンチンアリ		Argentine ant	阿根廷蚂蚁	阿根廷螞蟻	아르헨티나개미
1	報じる	ほうじる	to report	报道	報導	보도하다
1	上陸する	じょうりく-する	to land	登陆	登陸	상륙하다
2	毒	どく	poison	毒	毒	독
外	不快感	ふかい-かん	discomfort; unpleasantness	不快感	不愉快	불쾌감
1◆	外来生物	がいらい-せいぶつ	alien species; invasive species	外来生物	外來生物	외래생물
1	繁殖する	はんしょく-する	to breed; to propagate	繁殖	繁殖	번식하다
外	農作物	のうさく-もつ	field crop	农作物	農作物	농작물
2	被害	ひがい	damage	被害	損失	피해
2	及ぼす	およぼす	to affect; to cause	影响	影響	끼치다
2	南米	なんべい	South America	南美	南美	남미
2	原産	げんさん	native to ~; place of origin	原产	原產	원산
外	体長	たいちょう	body length	身长	身長	몸길이
外◆	在来	ざいらい	domestic; indigenous	本土	原有	재래
外◆	触角	しょっかく	feeler; antenna	触角	觸角	더듬이
外	個体	こたい	an individual	个体	個體	개체
外	通報する	つうほう-する	to report	通报	通報	신고하다
外	生息する	せいそく-する	to inhabit; to live	生息	棲息	생식하다
2	侵入する	しんにゅう-する	to invade	侵入	侵入	침입하다
外	判明する	はんめい-する	to turn out to be; to come to be known as	判明	判明	판명되다, 밝혀지다
2	箇所	かしょ	spot	地点，场所	地方	곳, 자리
外◆	薬剤	やくざい	chemical; insecticide	药	藥劑	약제
外◆	散布する	さんぷ-する	to spray; to sprinkle	散布	噴灑	살포하다
外◆	防除する	ぼうじょ-する	to control; to kill	防治	防治	방제하다
2	受け取る	うけとる	to receive	收取	理解、領會	받아들이다
	距離を置く	きょりを おく	to stand back; to put things in perspective	搁置距离	保持距離	거리를 두다
1	前提	ぜんてい	premise	前提	前提	전제
外	大量	たいりょう	mass; massive amount	大量	大量	대량
2	隠れる	かくれる	to hide	隐藏	隱藏	숨다
外	核心	かくしん	core; point	核心	核心	핵심

外	生態系	せいたい-けい	ecosystem	生态系统	生態系	생태계
外	論点	ろんてん	point of argument	论点	論點	논점
2	妥当性	だとう-せい	validity; adequacy	妥当性	妥當性	타당성
外	論調	ろんちょう	tone	论调	論調	논조
1	報道する	ほうどう-する	to report	报道	報導	보도하다
外◆	アライグマ		raccoon	浣熊	浣熊	미국너구리, 라쿤
外◆	セイヨウタンポポ		dandelion	西洋蒲公英	西洋蒲公英	서양민들레
外	動植物	どうしょくぶつ	plants and animals	动植物	動植物	동식물
2	文化人類学	ぶんか-じんるい-がく	cultural anthropology	文化人类学	文化人類學	문화인류학
1	側面	そくめん	side; aspect	侧面	方面	측면
外	論考	ろんこう	consideration; discussion	讨论	討論	논고
外	唐突な	とうとつな	sudden; abrupt	唐突	唐突的	당돌한
外	史上	しじょう	in history	史上	史上	사상
2	否定的な	ひてい-てきな	negative	否定的	否定的	부정적인
1	作用する	さよう-する	to act on	作用	作用	작용하다
外◆	サバンナ		savanna	热带草原	熱帶草原	사바나
1	本能	ほんのう	instinct	本能	本能	본능
1	独自	どくじ	unique; original	独自	獨自	독자적
外	生成する	せいせい-する	to generate	生成	產生	생성하다
2	必死に	ひっし-に	desperately	拼命	拼命地	필사적으로
2	生存する	せいぞん-する	to exist; to survive	生存	生存	생존하다
2	恩恵	おんけい	benefit; favor	恩惠	恩惠	은혜
1	云々	うんぬん	and so on; etc.	等等	等等	운운, 왈가왈부
外◆	もってのほか		out of question; unforgivable	毫无疑问	沒想到、豈有此理	당치도 않은
◆	天にツバする	てんに つばする	to spit toward heaven	搬起石头砸自己的脚	害人反害己	누워서 침뱉기
外◆	忘恩の所業	ぼうおんの しょぎょう	act of ingratitude	忘恩负义的行为	忘恩負義的行為	망은의 소행
2	安易な	あんいな	easy; thoughtless	简单	簡單地	안이한
外	難問	なんもん	difficult question	难题	難題	난문
2	性質	せいしつ	nature	性质	性質	성질
2	発する	はっする	to be resulted from ~	来自	來自於	시작되다, 일어나다
1	紛争	ふんそう	dispute	纷争	紛爭	분쟁
2	摩擦	まさつ	conflict	摩擦	磨擦	마찰
1	要因	よういん	primary factor; main cause	要因	要因	요인
1	交渉	こうしょう	negotiation	交涉	交涉	교섭, 협상
1	説得する	せっとく-する	to persuade	说服	說服	설득하다
1	妥協する	だきょう-する	to compromise	妥协	妥協	타협하다
1	本質的な	ほんしつ-てきな	essential	本质的	本質的	본질적인
2	利益	りえき	profit	利益	利益	이익
2	合理性	ごうり-せい	rationality	合理性	合理性	합리성
外◆	ナショナリスト		nationalist	民族主义者	國家主義者	내셔널리스트
1	思想家	しそう-か	thinker	思想家	思想家	사상가
外◆	エルネスト・ルナン		Ernest Renan	爱恩斯特·雷纳恩	恩尼斯特·瑞南	에르네스트 르낭
1	民族	みんぞく	nation; ethnicity	民族	民族	민족
2	集団	しゅうだん	group	集团	集團	집단
2	国家	こっか	state; country	国家	國家	국가
1	統合する	とうごう-する	to unify; to integrate	合并	整合	통합하다

■ 語彙リスト ■

2	各々	おのおの	each	各自的	各自的	각각, 각자
外	忘却する	ぼうきゃく-する	to forget; to dismiss	忘却	忘卻	망각하다
外◆	根ざす	ねざす	to arise from ~	生根	由來、根據	뿌리박히다
外◆	高次	こうじ	higher-order-; meta-	高級別	高等	고차원
外	理念	りねん	philosophy	理念	理念	이념
2	矛盾する	むじゅん-する	to contradict	矛盾	矛盾	모순되다
2	含む	ふくむ	to include	包含	包含	포함하다
2	支配的な	しはい-てきな	dominant	支配的	支配的	지배적인
2	種	しゅ	species	种	種類	종
2◆	高文化	こう-ぶんか	high/dominant culture	高文化	高等文化	고문화
外◆	アムネジア		amnesia	遺忘	失憶	암네시아 (기억상실)
1	記憶喪失	きおく-そうしつ	amnesia; memory loss	丧失记忆	喪失記憶	기억상실
1	説得力	せっとく-りょく	persuasiveness; convincingness	说服力	說服力	설득력
2	地球	ちきゅう	earth	地球	地球	지구
2	人類	じんるい	human being	人类	人類	인류
1	統合体	とうごう-たい	integrated body	集成体	整合體	통합체
1	システム		system	系统	系統	시스템
1	築く	きずく	to build	建立	建立	구축하다, 이루다
2	一時的な	いちじ-てきな	temporary	一时的	一時的	일시적인
外	心がける	こころがける	to aim to do; to keep ~ in mind	记在心里	記在心理	유의하다
1	普遍的な	ふへん-てきな	universal	普遍的	普遍的	보편적인
外	構築する	こうちく-する	to construct	建立	建築	구축하다
1	歩み	あゆみ	step	步伐	步伐	행보
2	尊重する	そんちょう-する	to respect; to value	尊重	尊重	존중하다

解 答 例

※ クリティカル・リーディング のパラフレーズ解答例は、p.33-35 にまとめて掲載しています。

■ 第1課　私のニュースの読み方

全体把握

1. メディア・リテラシー, a.　　2. d.

言語タスク

	記事から受ける印象	記事
毎日新聞	うまくいった	「政策に弱いとみられていたシュワルツェネッガー氏だが、わかりやすい言葉とユーモアを交えたスピーチで『従来の政治家とは違う』ことをアピール。テレビの採点でも『合格点』との見方が大勢だった」
日本経済新聞	まあまあだった	「(ほかの候補の)逆襲を受けながらも数字を交えて歳出削減や教育改革の必要性を熱っぽく主張。『政策論争を避ける』『経験不足』といった批判を薄めるのにある程度成功した格好だ」
朝日新聞	失敗した	「数字を挙げて説明したが、書いた文を読むような一本調子が耳につく。(中略)肝心の政策については抽象的な発言が多く、政治家としてはあまりアピールできなかった」
日刊スポーツ	完敗だった	「映画では無敵でも、討論会では、たじたじだった。(中略)財政改革など持論を展開したが、言葉に詰まる場面もあった」

2. メディアの伝える内容を冷静に読み解く、あるいは情報を解釈する力　　3. a.

4. 日本：毎日のように紹介されている

　　アメリカ：彼らの活躍でチームが勝利したときだけで、ふだんは取上げられることはない

認知タスク

1. 討論会が読者の興味を引く内容ではなかったという判断／討論会自体に読者の興味がないという判断／この討論会が日本の読者にとってニュースとしての価値(重要度)が低いという判断　など

2. どの候補が知事に最もふさわしいかの判断／知事選で誰に投票するかという判断　など

3. シュワルツェネッガー氏：(　知事選の候補者／政治家　)としてのシュワルツェネッガー

　　シュワちゃん：(　俳優　)としてのシュワルツェネッガー

4. a.

5. (事実をできるだけ客観的に伝えようとしているというより)視聴者が見たいと思うニュースを優先して伝えようとする傾向があるもの

■解答例■

6.

メディアからの情報の特性	①(記事を書く人間に左右される)もの 　⇒例：シュワちゃん・・・(2～13)段落 ②(伝え手によって選択された)もの 　⇒例：(イチローと松井)・・・(21)段落
私たちに必要なこと	(メディア・リテラシー)の力 1. メディアの(特性)を知る 2. 情報に接したとき、(自問自答)する 　◆(この情報は正しい)か 　◆内容は(伝え手の主観に左右され)ていないか 　◆(他のメディア)はどう伝えているか

7. b.

8.

項目	内容	段落番号
導入（問題提起）	シュワちゃんの討論会での奮闘ぶりはどうだったのか	1
主張	メディアはその特性を知って賢く利用すべきだ	23, 24
論拠1	メディアの情報は書く人に左右される	14, 15, 18, 19
エビデンス1-①	日本の各紙の報道	2～13
エビデンス1-②	アメリカのAP通信の姿勢	16
論拠2	伝え手は伝える情報を常に取捨選択している	20
エビデンス2	松井やイチローの日米の取り上げ方の違い	21, 22
補足	その他	17, 25

■第2課　価値の一様性

［全体把握］

1. 価値観, a., 実状, c.　　**2.** b.

［言語タスク］

1. c.　　**2.** d.　　**3.** d.　　**4.** b.　　**5.** ランクづけされている／位する

6. a.　　**7.** d.　　**8.** a.　　**9.** 親や教師など目上の人の言うままに、それに従うという意味

認知タスク

1. 勉強のできる子はえらい　　2. d.

3. 親の一様な価値観が子供の幸福を奪った／価値の一様性が子どもの幸福を奪っている(ことの)例／子供の幸福を願う親の気持ちが子供の幸福につながっていかない例　など

4. 小さい頃から家庭教師を一多いときには五人も一つけられ

5. 「素直なよい子」という一様な価値観に縛られてきた優等生が、今まで求められなかった「自主的判断」を急に求められたから

6. ①勉強のできる子　　②素直な子／目上の人に従う子

7. a., b., b., よい大学, よいところ, 幸福, 勉強のできる子, 素直, b., 奪っている

■ 第3課　言葉の起源をもとめて

全体把握

1. 言語／言葉, a., c., b.　　2. a.

言語タスク

1. a.　　2. 自分はなぜ, なぜだろう

3. いろいろな単語を組み合わせて新しい表現ができるのが言葉だ。

4. 人間になった, 生まれてくる　　5. a., c., b., 狩り, 食事, a., 共通部分, 単語, 文法

認知タスク

1. c.　　2. b.　　3. d.　　4. c.

5. | 動物の形質 | a |　　| もともとは存在しなかった事態 | f |

6. b.　　7. a.　　8. d.　　9. b.

■ 第4課　経済学とは何か

全体把握

1. b., a.　　2. b., b.

言語タスク

1. d.

2. 理学部数学科より進んだ内容を研究する分野がある, まだ解明されていない問題が多く残っている

3. c.　　4. 「経済学」という言葉からどのような学問か想像できないこと

5. b., c.　　6. b.

7. 学生時分は経済学に興味がなかったが、就職してから重要性に気がついた、もっと勉強しておけばよかった　　8. d.

24

■解　答　例■

【認知タスク】

1.

	どんなところが難しい？	マスターするポイント
1	専門用語　の意味が漢字の意味と異なる　　点	専門用語の意味をしっかり理解しておく　　こと
2	経済学は実際の経済と深くかかわっている　　点	実際の経済の動きを知っておく　　こと

2. 経済学　限界効用　　3. Ⓑの「一般的な」…（ a ）　Ⓒの「一般的」…（ d ）

4. この希少財をさまざまな欲望を満たす用途にどう振り分けたらよいか

　希少財の最適配分

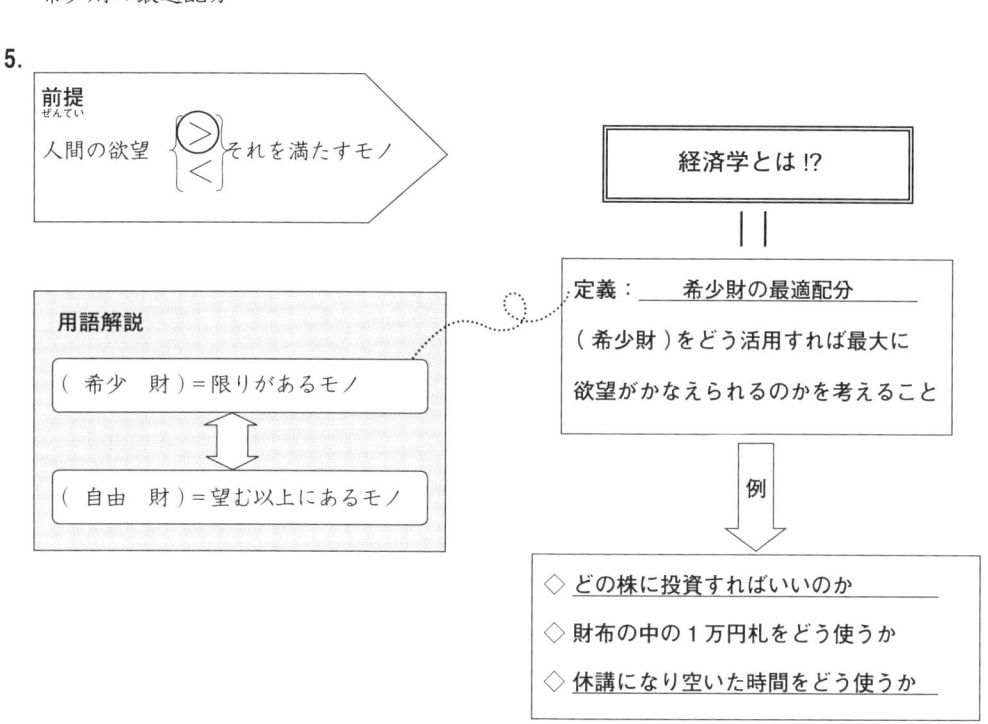

5.

前提
人間の欲望　＞／＜　それを満たすモノ

経済学とは!?
＝
定義：　希少財の最適配分
（希少財）をどう活用すれば最大に欲望がかなえられるのかを考えること

用語解説
（ 希少 財 ）＝限りがあるモノ
⇅
（ 自由 財 ）＝望む以上にあるモノ

例
◇ どの株に投資すればいいのか
◇ 財布の中の1万円札をどう使うか
◇ 休講になり空いた時間をどう使うか

■第5課　思いやり

【全体把握】

1. b., b.　　2. b.

【言語タスク】

1. 訳そうとしている言葉：「思いやり」

　訳せない部分：「人のため」という視点／相手の心情を推しはかるというような気配り

2. なかなか相手の心情を推しはかるというような気配りは伝わりません

3. 思いやり：相手の立場に立って、相手の気持ちや心情を推しはかり、気を配ること

   気働き：その場その場に応じて、すべきこととすべきでないことを機敏に見極め、労をいとわずに望ましい行為のために意識を働かせて動くこと

4. 「思いやり」という言葉を英語に訳そうとすると、相手の心情を推しはかり、気を配るという意味が伝わらないこと

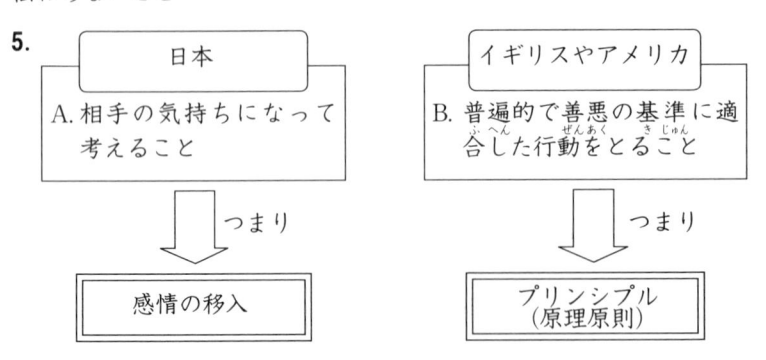

5.

日本	イギリスやアメリカ
A. 相手の気持ちになって考えること	B. 普遍的で善悪の基準に適合した行動をとること

つまり → 感情の移入

つまり → プリンシプル（原理原則）

6. 思いやり

7. 日本人が親切だから、自分もフランスにいるときより人に気遣いをするようになるから

[認知タスク]

1. 教師／親 など

2. 相手の気持ちになって考えるという点。（他人を大事にするという点／周囲の人のために、相手のためにという点／相手の立場に立って、相手の気持ちや心情を推しはかるという点 も可。）

3. 気がきく／気働きがある など

4. (1)

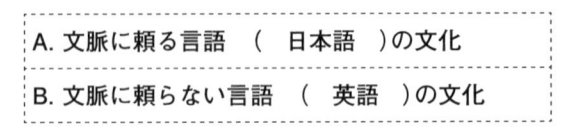

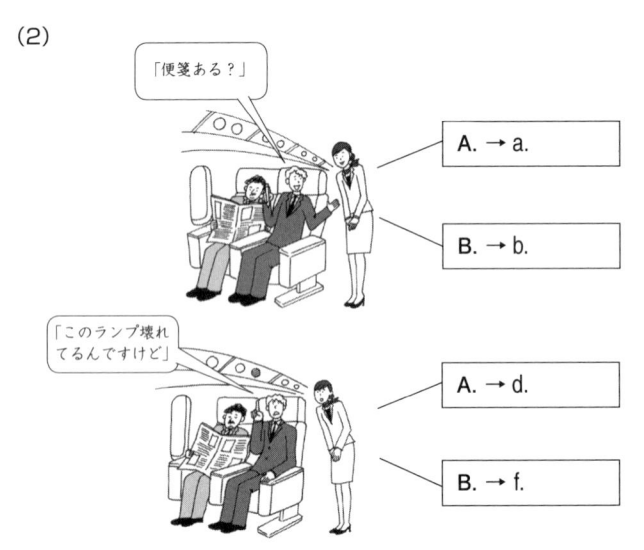

   A. 文脈に頼る言語（ 日本語 ）の文化
   B. 文脈に頼らない言語（ 英語 ）の文化

   (2)

   「便箋ある？」
   A. → a.
   B. → b.

   「このランプ壊れてるんですけど」
   A. → d.
   B. → f.

解答例

5. (1) A
   (2) 「ランプが壊れている」と言ったのに、何の対応もしてくれなかったから
   (3) ランプが壊れているので修理してください。(「ランプが壊れている」という事実と、「だからどうしてほしい」ということの両方が必要)

6. a.

■第6課 住まい方の思想

【全体把握】

1. c., b., b.   2. a.

【言語タスク】

1. b.   2. A 具合の悪い　B 偉い　C 楽しい　D 物足りない
3. a.   4. あとにはほとんど何も残らない   5. 支えている(と言っている)

【認知タスク】

1. c.   2. a.   3. d.

4.
「ぼくたちが信じている生活」	それを「否定すること」
b.	a., c., d.

5. a.   6. d.   7. b.   8. c., f.

9.
		「ぼくたちが信じる生活」	対極の生活
人		{⓪大多数の弱い人間・選ばれた少数の人々}	{大多数の弱い人間・⓪選ばれた少数の人々}
信条		生活の中の(小さな幻影)のやさしさを大切にしたい	合理的に考える
人生の意味		正面から問わない	(素裸で向き合う)
食器などの物	数や種類	{最小限・⓪非常に多い}	{⓪最小限・非常に多い}
	具体例	(イチゴのスプーン、中華丼やワイングラス、湯豆腐のレンゲなど)	液体用の容器、固形物用の大、中、小の皿のみ
	感覚	中身に合った食器で飲んだり食べたりしたほうがおいしい	(容器によって味は変わらない)
	精神性	{⓪付与する・付与しない}	{付与する・⓪付与しない}
収納スペース		{大きい・⓪小さい}	{大きい・⓪小さい}

10. c.

■ 第7課　決まった道はない。ただ行き先があるのみだ

［全体把握］

1. 猛禽類，獣医師，a.　　2. c.

［言語タスク］

1. b.　　2. 渡り鳥の生態に興味を持ち、研究者の調査に加わったこと
3. 猛禽類の高貴さ／弱みを見せない誇り高さ　　4. a.　　5. オオワシ
6. ロシア人ドライバー　　7. 決まった道はない。ただ行き先があるのみだ

［認知タスク］

1. 森林の伐採や河川の整備によって、住処や獲物が減り、生息数が減っている。また交通事故に遭うことも増えている、という状況。
2. 野生動物の本能を取り戻さないと野に戻せないから
3. 人間が与えてしまった悪影響：b.　e.

   それを人間が治して、また元にもどしてやる：d.
4. （ C ）→（ B ）→（ D ）→（ A ）→ E　　5. a.
6.

誰に対して	行政・ハンターの団体	（ 子ども／一般の人々 ）
何をしたか	（ 鉛の弾は使わないよう直訴 ）	(出前授業)や（ 講演会 ）で（ 鉛中毒の実態 ）を訴えた
その結果	状況は変わらなかった	（ 鉛の弾 ）は実質的に使用禁止になった

7. b.　　8. b.　　9. b.

■ 第8課　メディアがもたらす環境変容に関する意識調査

［全体把握］

1. b.　a.　c.

［言語タスク］

1. 電車内での携帯電話使用に関する大学生の意識を調べたもの
2. 「マナーは携帯電話が電車内の一時的な共同性を破壊することに由来する」という共同体仮説
3. 本調査では、れなかった

■解答例■

〈参考〉

【目的】 第一文
本論文は，メディアがもたらす環境変容に関する意識調査の一例を報告し，それを通して，メディア環境の設計における意識調査の役割の重要性を指摘する。

【方法】 第二文
本研究では，電車内の携帯電話使用は控えるべきというマナーに注目し，大学生の意識を調査した。

【先行研究】 第三文前半
いくつかの社会学の文献では共同体仮説(マナーは携帯電話が電車内の一時的な共同性を破壊することに由来する)が提唱されているが，

【結果】 第三文後半～第五文
本調査では音仮説(マナーは単に音がうるさいことに由来する)のほうが有力であるといった結果が得られた。しかし，共同体仮説を支持する少数意見も得られた。また，心理的な不安傾向との相関も調査したが，顕著な相関傾向は得られなかった。

【考察(結論)】 第六文
情報メディアの発展に伴って我々の生活様式に急速な変化が及んでいるので，こうした意識調査を機動的に行って，その結果がメディア環境の良好な設計に反映されることが望まれる。

4. a. ○ b. × c. × d. × e. ○

認知タスク

1.「メディア」：携帯電話　　　　「環境」：電車内

2. 携帯電話は、呼び出し音がうるさいから／携帯電話で通話するとき、大声で話す人がいるから

3. こうした意識調査を機動的に行って，その結果がメディア環境の良好な設計に反映されることが望まれる。

4. c. **5.** a. **6.** a.

■第9課　改訂　介護概論

全体把握

1. f.　**2.** b.

言語タスク

1. a.　**2.** b.　**3.** b.　**4.** a.　**5.** a

認知タスク

1. (1) 認知症　　　　　　　第　2　章　6　1
　　(2) リハビリテーション　　第　3　章　3　1
　　(3) 福祉用具　　　　　　　第　7　章　3　1

2. 第 5 章　2　A　3
　　第 5 章　2　A　4
　　第 5 章　2　A　5

3. （中心に読むところ）　　　　第 6 章　2 と 3
　　（目を通しておくとよいところ）　第 2 章　5　6
　　　　　　　　　　　　　　　　　第 3 章　5
　　　　　　　　　　　　　　　　　第 3 章　6

※「（目を通しておくとよいところ）」については、解答例以外の目次番号でも、選択した理由がきちんと述べられれば可。

4. 第 3 章　4　2
5. 第 2 章　2
　　第 2 章　3
　　第 2 章　4
　　第 3 章　1
　　第 7 章　3

※解答例以外の目次番号でも、選択した理由がきちんと述べられれば可。

■ 第10課　ことばの構造、文化の構造

全体把握

1. b., c., b.　　2. a., a.
3. 例としての〈筆者の経験〉：　3　段落目〜　7　段落目
　　Ⓐの解説：　8　段落目〜　16　段落目

言語タスク

1. a.　2. a.　3. b.　4. 日本：a　イタリア：c
5. a.　6. a.

認知タスク

1. a.　2. c., d.

解 答 例

3.

自分の国の食物と同じものが	（ 白い御飯 ）が
外国の食事の中にありながら	T氏宅でのイタリア料理の中にありながら
その食物と他の食物との関係が	（ 白い御飯 ）と（ 肉料理 ）との関係が
自国の食事の場合と違うという	（ 日本 ）の食事の場合と違うという
つまり同一の食物の	つまり（ 白い御飯 ）が
食事全体における価値が	主食なのか（ ミネストラ ）なのか という位置づけが
文化によって異なるときに	日本とイタリアとの食事文化で異なるときに

⇩

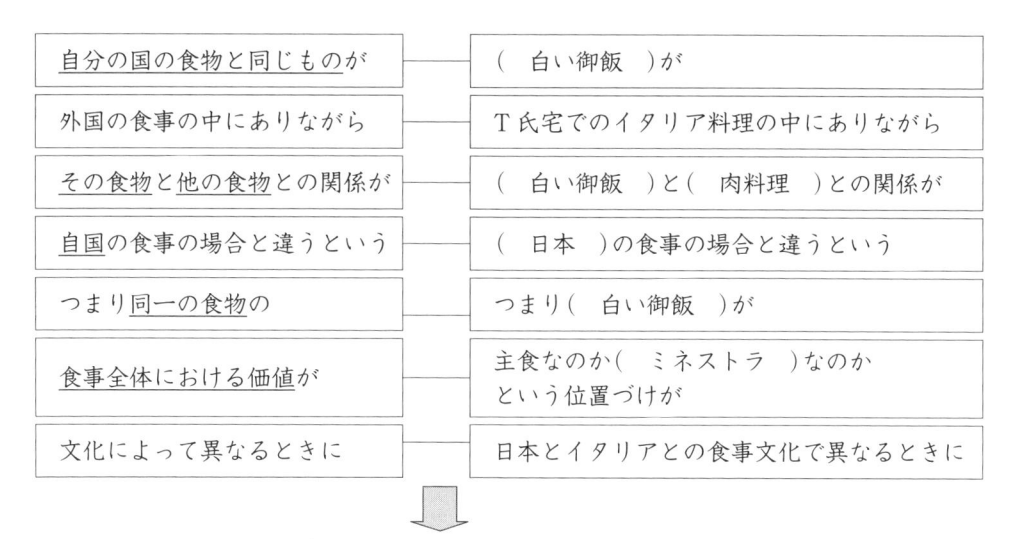

難しい問題がおきるのである

4. イタリア料理で白い御飯を見て、それを主食だと思い込んだ。

5. d.　　6. 日本：並列的・同時的(共時的展開)　イタリア：通時的(通時的展開)

7. 自分の文化にある文化項目(たとえば或る種の食物)が、他の文化に見出されたためにそれを同じものだと考えた例　　8. b.

■第11課　観光で行きたい国はどこ

全体把握

1. 方法，結果，実例　　2. d.

言語タスク

1. 『観光白書』の出国する統計(『観光白書』からわかる出国先で多い国)
   旅行業者のベテランに聞いた観光で人気のある国

2. 「どこに行きたいか」という簡単な調査でもその仕方によって全く違う結果が出るということを知ってもらう(ため)

3. 「三問目の質問」：C調査／次のどこを一番見たいですか／行ってみたい観光地
   「上二つ」：A調査／次のどこの国を見たいですか／行ってみたい国
   　　　　　B調査／次のどこを見たいですか／行ってみたい都市

4. (それでも)行きたい国が網羅されるとは限らない(から)　　5. 言っていない

6. c.　　7. d.　　8. 書かれていない　　9. d.

10. ・調査に協力してくれる回答者に答えを押しつけないようにするため
　　・調査を企画した側が落としているものがなかったかを確認するため

[認知タスク]

1. c.

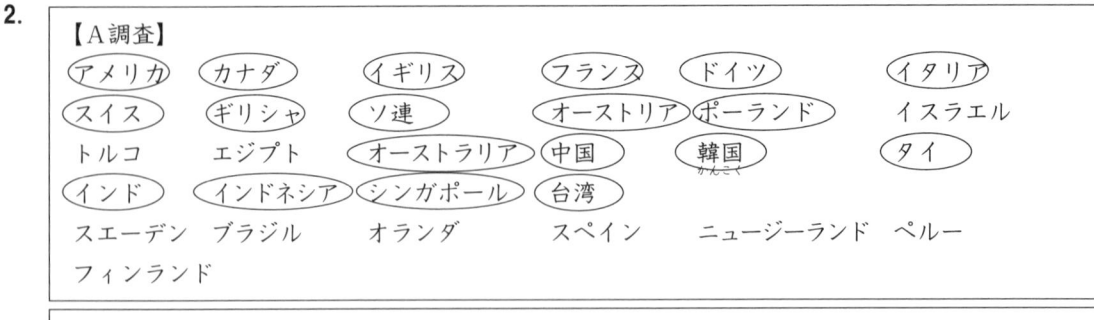

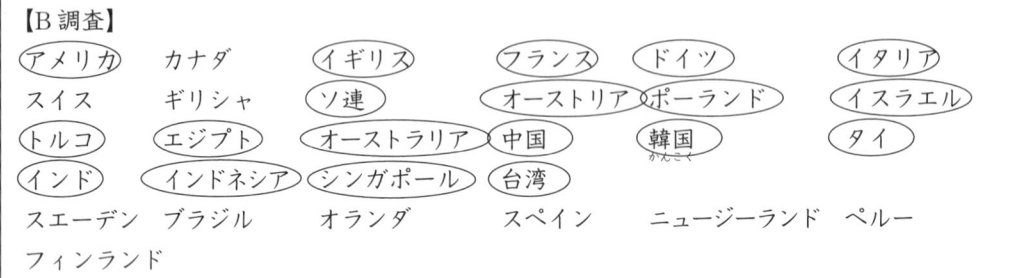

2.
【A調査】
(アメリカ)　(カナダ)　(イギリス)　(フランス)　(ドイツ)　(イタリア)
(スイス)　(ギリシャ)　(ソ連)　(オーストリア)(ポーランド)　イスラエル
トルコ　エジプト　(オーストラリア)(中国)　(韓国)　(タイ)
(インド)　(インドネシア)(シンガポール)(台湾)
スエーデン　ブラジル　オランダ　スペイン　ニュージーランド　ペルー
フィンランド

【B調査】
(アメリカ)　カナダ　(イギリス)　(フランス)　(ドイツ)　(イタリア)
スイス　ギリシャ　(ソ連)　(オーストリア)(ポーランド)　(イスラエル)
(トルコ)　(エジプト)　(オーストラリア)(中国)　(韓国)　(タイ)
(インド)　(インドネシア)(シンガポール)(台湾)
スエーデン　ブラジル　オランダ　スペイン　ニュージーランド　ペルー
フィンランド

3.
行ってみたい国がX国だとする。
調査票の選択肢にX国があれば、X国を選ぶ。
選択肢にX国がなくても、<u>「その他」にX国と書ける</u>。
だから　<u>どちらの場合もX国の回答数は同じ1</u>という結果が出る。

※上記以外の解答でも理屈として妥当であれば可。

4. d.

5. 資料2-2の調査には「その他」（自由記述欄）があるが、2-1の調査には（「その他」（自由記述欄）が）無い点　　6. a.

■ 第12課　化粧する脳

[全体把握]

1. a., c.　　2. d.　　3. b.

[言語タスク]

1. c.　　2. d., f.　　3. 現在の筆者の人格と幼少期の（筆者の）人格

4. 人間と同等レベルの会話能力を持つ人工知能／人工知能が人間と同等レベルの会話をする能力に達する（こと）　　5. 社会的コミュニケーション

[認知タスク]

1. c.　　2. b.　　3. d.　　4. b.　　5. a.　　6. b.

■解 答 例■

7. 自己の人格は他者の数だけ多面であり、可塑性の高いものだから／接する相手との関係次第で異なる人格が現れてくるから　　**8.** f.

クリティカル・リーディング 解答例

※パラフレーズの解答例をご紹介します。ただし、パラフレーズには正解(せいかい)はありませんから、参考(さんこう)にとどめてください。

第2課

5. 価値＝何を大切に思うかということ／その人にとって重要なこと／人が重視する点・・・

個性＝その人らしさ／他の人と違う特別な性質／人それぞれの人格・・・

幸福＝満足して生きること／充足感／心理的・情緒的な安定・・・

第4課

1. 使えるものより求めるものが多いときに一番賢い使い方を考案すること／量的な不足をいかに合理的に補うかを追求する学問／どんなものでも私たちが手に入れたいと思うだけ手に入るわけではない。そのとき、手に入るわずかなものをいかに上手に使うか工夫するのが経済学だ。・・・

第5課

3. 便箋(びんせん)のエピソード：あるフランス人ビジネスマンが、フライトはいつも日本の航空会社を選ぶ。それは普通、便箋を頼むと便箋だけ来るが、日本のだと封筒も来るからだ。

／便箋と言えば封筒も出てくるような日本の航空会社のサービスは他のところでは経験できない(というフランス人実業家の話)

／ある人は、日本の航空会社が特に気に入っている。便箋があるかと尋ねたときの対応が他と全く違い、封筒まで添えて出すのは日本だけだからだ。・・・

ランプのエピソード：筆者の妹が、アメリカの飛行機でランプが点かないことを知らせたが何の対応もないことに不満を覚えたというエピソード。

／アメリカの飛行機に乗った筆者の妹が、機内で手元の照明が壊れていると言ったところ、乗務員が「あ、そう」と言ってそれきりだったという話。

／日本の航空会社ではランプの故障のような事実のみを伝えれば、こちらの意図を察してすぐに対応してくれるが、アメリカの航空会社では座席の変更、修理といった、こちらの具体的要求まで明確に言語化しないと対応が期待できないという話。・・・

第6課

3. 私たちは持ち物や道具がもたらす幻想に支えられて生きていて、それなしでは生きられない。つまり、それはただの物質ではなく、私たちにとって友だちのようなものだ。収納スペースは、この大切な友だちの住居なのだから、そういうものとして大事にするべきだ。

／家にある細々したものの価値は幻であったとしても、人が生きるために欠かせない、いわば、朋友なのだ。だから、その朋友が住まう空間(＝収納スペース)は意味あるものとして大切に扱うべきだ。

／物にはそれを持つ人にとって精神的な意味があり、それを守ろうとするなら収納スペースはおろそかにできない。・・・

第7課

3. 北海道でオオワシなどの保護に当たっている獣医師の齊藤さんは、次々に死んでいくオオワシに打つ手もなかった。ワシは猟師が撃ったシカの肉を食べ、ライフルの弾で鉛中毒を起こしていたのだ。関係の団体に対策を訴えたが、効果はなかった。このままではオオワシが絶滅する。希望を失いかけたとき、ロシアで一人の運転手が言った。「決まった道はない。ただ行き先があるのみだ」暗闇で光が見えた。どこに向かうかさえ忘れなければ大丈夫だ。それから、齊藤さんはアプローチを変え、子どもや一般社会に現状を知ってもらおうと講演を始めた。鉛中毒の害が知られるようになり、やがて鉛の弾の使用は減った。今でも、オオワシは絶滅の危機にあるが、齊藤さんは「道はない」という言葉を胸に努力を続けている。

／野生生物保護センターの獣医師、齊藤慶輔氏は猛禽類の専門家で、野生動物、特にオオワシなどの猛禽類の保護に力を注ぐ。野生の猛禽類は生息地の環境変化などで激減し、交通事故も多い。ワシの治療のあと、自然に返すためのリハビリも丁寧に行う。あるとき、死んだワシがセンターに運びこまれた。外傷はないのに治療の効果なく死んでしまう。調べると、シカの肉とともにライフルの弾を食べたことによる鉛中毒とわかった。行政やハンターの団体に鉛の弾を使わないように訴えたが反応は鈍く、逆に嫌がらせの電話や手紙が届いた。その間もワシはどんどん死んでいく。鉛中毒の発見から4年経っても状況は変わらず焦燥感だけが募った。その頃、サハリンに調査に行く機会があった。道なき原野で何度も車が動かなくなり、ロシア人運転手に「たいへんだね」と声をかけた。そのとき、運転手がなにげなく答えた「決まった道はない。ただ行き先があるのみだ」という言葉は、状況を打開できずに悩んでいた齊藤氏の心に響いた。道(＝正しい方法)を探していたが、道などないと知った。目的を忘れず、やれることを真剣にやるだけだとわかった。勇気を得た齊藤氏は、自分にやれることを考え、小学校などに出向き、子どもや一般の人々に向かって鉛中毒のことを話す活動を始めた。やがて、無毒の弾のことを教えてくれという問い合わせが来るようになり、社会の反応が変わってきた。その後、北海道では鉛の弾が実質禁止になった。今でも鉛中毒は根絶できず、厳しい状況が続くが、齊藤氏はあの言葉を思い出して自分を励ましている。

第10課

2. 日本では米飯は主食で食事の間中いつでも食べられるが、イタリアでは同じ米飯がミネストラで、それを食べ終えてからメインディッシュに移る。このように、自文化と同じ食品が他文化にもあるが、それが占める地位が違うときがわかりにくくて困る。

／食事のマナーは明快なものもあるが、そうではないものもある。たとえば、日本食でご飯は他の料

理と並行して食べるのがよいとされるが、イタリアの米のご飯は麺類同様、ミネストラと呼ばれ、他の料理と並行して食べることはせず、主菜の前に食べてしまう。日本食は横、イタリアの食事は縦に並ぶと言ってもよい。このように、同じ要素が全体の中で違う意味を持つとき、勘違いが起こりやすくて厄介だ。

第11課

3. リサーチの結果をうのみにするのは危険だ。方法が結果に影響するからだ。たとえば、行きたい場所を聞くアンケートで、「どこの国」「どの都市」「どの観光地」といった質問の仕方、選択肢の数や項目、「その他」の有無で答えが変わった。

／世論調査の結果を見て簡単に納得していいものだろうか。そこで「観光で行きたい国はどこ」をテーマに大学生を対象に、質問の仕方を少しずつ変えた3つの調査をしてみた。1番目は国名、2番目は都市名、3番目は観光地で行きたいところを尋ねたところ、それぞれの結果はかなり違った。また、一番目で国名を尋ねるのに、選択肢が7カ国の場合と、19カ国で「その他」を設けた場合を比べると、これもかなりの違いが出た。調査の仕方は結果を大きく左右するということだ。

第12課

4. 人には安定した自分などない。相手次第で違う顔を見せる。頭の中のメイクアップと言ってもよい。

／自分は不動のものだろうか。いや、私たちの性格や行動は一定せず、家族・隣人・友人など、ふれあう他人との間で違う個性を演じ分けている。子どもも成長する過程で、気づかないままにそのような使い分けをするようになる。他人とふれあうとき、私たちは顔にメイクを施すように脳に装いを施すのだ。